O psicodrama antes e depois de Moreno

CIP-BRASIL. CATALOGAÇÃO NA PUBLICAÇÃO
SINDICATO NACIONAL DOS EDITORES DE LIVROS, RJ

G98p

Guimarães, Sérgio, 1951-
O psicodrama antes e depois de Moreno : dos gregos antigos à internet / Sérgio Guimarães. - 1. ed. - São Paulo : Ágora, 2022.
192 p. ; 21 cm.

Inclui bibliografia
ISBN 978-85-7183-313-5

1. Moreno, J. L. (Jacob Levy), 1889-1974. 2. Psicodrama. I. Título.

22-78756 CDD: 616.891523
CDU: 615.851

Meri Gleice Rodrigues de Souza - Bibliotecária - CRB-7/6439

O psicodrama antes e depois de Moreno

Dos gregos antigos à internet

Sérgio Guimarães

EDITORA ÁGORA

O PSICODRAMA ANTES E DEPOIS DE MORENO
Dos gregos antigos à internet

Editora executiva: **Soraia Bini Cury**
Preparação de texto: **Lígia Alves**
Revisão: **Mariana Marcoantonio**
Diagramação: **Crayon Editorial**
Capa: **Alberto Mateus**

Editora Ágora
Departamento editorial
Rua Itapicuru, 613 – 7º andar
05006-000 – São Paulo – SP
Fone: (11) 3872-3322
http://www.editoraagora.com.br
e-mail: agora@editoraagora.com.br

Atendimento ao consumidor
Summus Editorial
Fone: (11) 3865-9890

Vendas por atacado
Fone: (11) 3873-8638
e-mail: vendas@summus.com.br

Impresso no Brasil

Muitas técnicas psicodramáticas – há mais de trezentas –, por mais estranhas e fantásticas que pareçam, podem ser rastreadas até nos rituais e costumes de culturas antigas, e são encontradas nos escritos clássicos da literatura mundial. Moreno apenas as redescobriu e as adaptou aos objetivos psicoterapêuticos. Seus verdadeiros inventores são os pacientes mentais de todos os tempos. O número de aplicações do método psicodramático é praticamente ilimitado, embora o cerne do método permaneça inalterado.

ZERKA T. MORENO

A survey of psychodramatic techniques [Um levantamento das técnicas psicodramáticas]. *Group Psychotherapy* [Psicoterapia de Grupo] [1959, março], *XII*(1), 14.

Sumário

E agora, o que vem por aqui?

Não deixe que a próxima vez saiba demais sobre as vezes anteriores. De acordo? Para quem não quiser cair no recurso fácil do chavão – "Prefácio" ou "Introdução", por exemplo –, esse conselho é sempre oportuno. Pois é, mas, escrito assim, sem aspas, qualquer um poderia dizer que é seu, inclusive eu. Não é, não. Melhor, portanto, colocar as devidas aspas, que eu deixo aqui, para que você, se quiser, possa botá-las no devido lugar: "".

Foi Jacob Levy Moreno, o criador do psicodrama moderno, quem fez essa recomendação, num texto de 16 tópicos, "On the genius" [Sobre o gênio], que acabou ficando inédito por cerca de 45 anos. Somente a partir de 2019 saiu a público a *Autobiography of a genius* [Autobiografia de um gênio].

Por enquanto, para começar, o importante é sublinhar no título aí em cima, ainda que em desordem, duas palavras fundamentais para quem faz psicodrama: o "aqui" e o "agora". Será? Pelo menos assim era, até que uma pandemia brutal obrigou a grande maioria de psicodramatistas mundo afora a mudar de prática. E, com o chamado "psicodrama digital" – que muitos insistem em chamar de "virtual" –, a situação passou a ser outra: o "aqui" muda e o "agora" continua, por exemplo.

— Espera aí! — intervém de repente meu "duplo contrário". — Você está começando pelo fim. Esse é o tema do último capítulo. Por que não vai na ordem?

Poderia responder a ele que faço assim, entre outras razões, porque sou canhoto, mas prefiro não contrariar a figura. Uma explicação melhor sobre a técnica do "duplo contrário" vai ter que esperar pelo segundo capítulo, "Curar-se atuando: o teatro terapêutico antes de Moreno". É quando conto a história do duelo de Dom Quixote – retratada por Miguel de Cervantes – com o Cavaleiro da Branca Lua, ocorrido ficcionalmente em Barcelona, uns 350 anos antes do II Congresso Internacional de Psicodrama realizado naquela cidade. Como assim?!

Antes que o tal "duplo" interfira de novo, me acusando de continuar fora da ordem, volto então à tal normalidade. O que você vai encontrar no primeiro capítulo, "Dos gregos antigos aos tempos modernos: a improvisação antes de Moreno", é a primeira das duas perspectivas históricas construídas no livro. Nele mostro como, já entre os helenos, eram praticadas não apenas cenas improvisadas, mas inclusive jogos de papéis precursores da proposta psicodramática. O exemplo do juiz – protagonista da comédia *As vespas*, de Aristófanes –, tão obcecado pelo trabalho judicial que acaba levando o próprio filho a simular em casa um tribunal, é, sem dúvida, emblemático.

Basta seguir o fio da história da improvisação para ir encontrando, ao longo dos séculos, as inúmeras manifestações de teatro popular, registradas tanto na Europa como na Ásia, África ou América Latina. Não é um acaso que, em 1º de abril de 1921, Moreno se vista de bobo da corte para sua primeira grande aparição pública improvisada.

Já o segundo capítulo vai buscar, também a partir dos gregos, o fio da meada que permite ir tecendo a história do teatro terapêutico, obra não só individual mas também coletiva, da qual participam tanto médicos quanto escritores. Ao percorrer esses caminhos, acaba ficando claro que, já bem antes de Moreno, os recursos da representação teatral, ora dentro ora fora dos hospitais, vinham sendo praticados em busca de cura para transtornos mentais.

É só lembrar do que reconheceu o próprio Moreno sobre Johann Christian Reil, o pai da psiquiatria. Segundo ele, Reil, "no fim do século XVIII, sugeriu que os hospitais mentais tivessem um teatro especial, no qual os funcionários desempenhariam os papéis de 'juízes, fiscais, anjos vindos do céu, mortos saindo das tumbas'" (Moreno, 1974, p. 4). Ou das práticas de teatro de Philippe Pinel, por volta de 1800, para ficarmos ainda no âmbito dos profissionais da medicina. Mas há também os literatos, entre os quais Johann Wolfgang von Goethe, com sua *Lila*, personagem que entra em surto psicótico ao tomar conhecimento da notícia (falsa) da morte do marido, e é curada graças a recursos de simulação teatral. Sem falar muito no caso do próprio Cervantes, que menciono apenas sussurrando, para não chamar de novo a atenção do meu "duplo contrário".

— Agora é tarde, já chamou. E vou logo te dizendo: esse texto está ficando longo demais. Não precisa ficar entrando em tanto detalhe.

Mas eu não posso deixar de tocar nos principais pontos que quem ler vai encontrar à frente. E olha que, em toda essa história do psicodrama, nem estou falando do que já mostrei no meu livro anterior, *Moreno, o Mestre*, sobre o psicodrama alemão, por exemplo, desenvolvido por Richard von Meerheimb décadas antes do nascimento do próprio Moreno!

— Acho melhor você resumir, antes que o pessoal desista de seguir essa cantilena.

Quanto ao capítulo 3, "Moreno num jogo de espelhos: modificações do método psicodramático", é quando a gente se dá conta, depois da Segunda Guerra Mundial, de que as opções do leque do psicodrama passam a se abrir como cauda de pavão. Começam os franceses pondo a psicanálise no meio. Logo entra a turma que prefere o Jung. Os gestálticos ficam olhando e anotando. Então chegam os sistêmicos e aparece o grupo que prefere fazer *playback*, ao lado dos que oferecem um teatro quase espontâneo. Há os que partem para as constelações, a cultura chinesa entra em cena, e por aí vai, até a gente passar pela Argentina e chegar ao Brasil.

— Sei, não. Essa tua linguagem está descambando pro coloquial demais.

Melhor nem responder, e seguir em frente. Aliás, antes que o capítulo 3 chegue ao fim, aparece um personagem inédito no meio do movimento psicodramático brasileiro: o filósofo Álvaro Vieira Pinto. É ele que vai nos ajudar a entender, afinal, o que têm a ver psicodrama e consciência nacional. Basta comentar, por enquanto, que Paulo Freire considerava Vieira Pinto seu mestre. Claro, é a questão política – mas não partidária – entrando na arena psicodramática, para que se discuta o papel da consciência, ingênua ou crítica, na construção democrática do país.

Já no quarto capítulo, "Entre Moreno e Paulo Freire: a filosofia, a terapia e a pedagogia", o paralelo entre os dois homens de ação/reflexão/ação põe em evidência o que os faz convergir. Procuro demonstrar, a partir do trabalho deles, por um lado, a importância de manter a necessária unidade entre saúde e educação, e, por outro, a busca da libertação das pessoas por meio da ação e da correspondente tomada de consciência. Daí trabalharem ambos a favor de uma crescente autonomia, que permita aos indivíduos decidir, por conta própria, a respeito de sua própria vida.

— Eu, se fosse você, parava por aqui.

Sem dizer nada sobre o último capítulo? Preciso pelo menos mostrar que, mais de 80 anos depois de Moreno ter começado a indicar o caminho das pedras no uso das novas tecnologias, suas recomendações finalmente começam a ser postas em prática.

— Muito vago isso. Pode ser mais claro?

Na realidade, é a pesquisa sobre a gravação de discos de metal ainda na Europa, feita com Fritz Lörnitzo, que chama a atenção de uma empresa norte-americana, que os convida e os leva aos Estados Unidos em 1925. É fato que, em 1933, Moreno produz seu primeiro filme, ainda mudo, mas já mostrando como pode ser feito um trabalho *impromptu*. Depois vêm o uso da primeira câmera sonora, os programas de rádio, as gravações audiovisuais no teatro de Beacon, os contratos com a televisão nos anos 1940, o circuito fechado de televisão, para que centenas de pessoas pudessem acompanhar psicodramas ao vivo e, logo depois, através de videoteipe.

A lista de iniciativas tomadas por Moreno é longa, mas seu exemplo e suas recomendações adiantaram muito pouco. Foi preciso uma pandemia feroz, a da Covid-19, ameaçando devastar o planeta, para que entrasse massivamente em cena uma nova modalidade, com o uso efetivo, e não mais excepcional ou experimental, de um psicodrama a distância, graças à rede mundial de computadores, a tal internet. Chega o momento instigante, e quase exclusivo, do psicodrama digital. Está bem assim, como aperitivo do capítulo 5?

— Hum.

1. Dos gregos antigos aos tempos modernos: a improvisação antes de Moreno

ARISTÓTELES VISTO POR MORENO, E A IMPROVISAÇÃO, DO COMEÇO À *COMMEDIA*

> Assim pois, uma vez que o imitar tem a ver com nossa natureza, assim como a música e o ritmo (é óbvio que os metros são parte dos ritmos), originalmente aqueles que possuíam as melhores aptidões para esses assuntos avançaram lenta e gradualmente e criaram a poesia a partir de suas improvisações. (Aristóteles, 2007, p. 71)

A frase é de Aristóteles e mostra bem a importância que o filósofo grego dava ao fenômeno da improvisação, já no século IV antes de Cristo. Em sua *Poética*, depois de afirmar que "Homero foi o poeta supremo dos assuntos sérios", Aristóteles sustenta que ele "também foi o primeiro a esboçar os esquemas formais da comédia" (p. 72). Além disso, escreve que, assim que apareceram a tragédia e a comédia, "os poetas se inclinaram a um ou outro tipo de poesia, conforme sua própria natureza" (p. 72-73), explicando que "alguns começaram a compor comédias em vez de iambos, e outros deixaram a épica em favor da tragédia, porque estas formas são superiores e mais apreciadas do que aquelas" (p. 73). E acrescenta:

> De qualquer forma, tendo tanto a tragédia como a comédia sua origem na improvisação (a primeira, dos solistas de ditirambo, a segunda dos hinos fálicos, que ainda hoje são costume vigente em muitas cidades), a tragédia foi avançando pouco a pouco quando os poetas foram desenvolvendo as possibilidades que havia nela. (p. 73)

Por outro lado, insistindo na ideia de que "a atividade imitativa é conatural aos seres humanos desde a infância" (p. 70), Aristóteles menciona Sófocles "enquanto imitador", opinando que se assemelha a Homero, "pois ambos imitam homens bons" e que "em outro aspecto também se assemelha a Aristófanes, pois ambos imitam homens que atuam e produzem *(drôntas)*". Por essa razão, observa o filósofo, "dizem alguns que suas obras são chamadas de dramas *(drámata)*, porque imitam homens que atuam" (p. 69).

A referência à noção de drama como *ação* soa familiar no contexto psicodramático porque essa era a acepção utilizada por Jacob Levy Moreno. Além disso, a obra *Poética* também figurava entre as primeiras mencionadas em seus escritos sobre as raízes gregas de sua proposta de teatro terapêutico. De fato, já em *Das Stegreiftheater* [O teatro da improvisação], o então autor anônimo se referia à "perspectiva de Aristóteles (na *Poética*)", ao concluir a parte relativa ao "teatro do criador" (Anônimo, 1923, p. 81).

No entanto, a menção ao filósofo grego, frequentemente feita por Moreno, remete sempre à ideia de catarse, e esse é o caso em sua obra de 1923:

> O fundamento de seu julgamento é *a tragédia terminada*. A controvérsia em relação a si, segundo suas palavras, o efeito purificador sobrevém no leitor (ouvinte) ou nos personagens trágicos da poesia, se estende até o presente; ele procura equivocadamente inferir algo sobre o *efeito* a partir do teatro dogmático. (p. 81, itálico no original)

Em nenhum momento Moreno menciona Aristóteles quanto à sua ideia sobre a improvisação como fenômeno presente já na etapa histórica de criação da poesia. O que o autor anônimo vai comentar no fim da parte "O teatro da improvisação" está numa nota com o título *Improvisation und Stegreifspiele* [Improvisação e peça de improvisação]. Aí, pela primeira vez, Moreno utiliza o termo alemão de raiz latina e seus derivados, buscando distingui-lo do outro modo de improvisação que ele propõe:

> Também os atores da *commedia dell'arte* eram improvisadores [*Improvisatoren*], não intérpretes de improvisação. Depois que uma cabeça engenhosa cunhou os tipos, ficaram preestabelecidas as maneiras de se comportar e as formas de falar; o ator variava o diálogo adaptando-o à situação. A improvisação [*Improvisation*] tinha uma direção prescrita. A peça de improvisação, por sua vez, deve ser realizada sem condições,

> os tipos, as palavras, a atuação conjunta. A cena de improvisação também está sujeita a petrificar-se numa série de comédias com determinados tipos. Estes se delatam a si mesmos (bufão do rei, bufão do povo, juiz de improvisação). Mas a verdadeira forma de uma arte do momento é a poesia sem ataduras, individual. *A comedia de improvisação deve evitar tanto o tipo dogmático como a palavra dogmática.* (p. 65-66, itálico no original)

Em sua edição de *The theatre of spontaneity* [O teatro da espontaneidade] de 1947, Moreno aborda com mais detalhes as diferenças entre suas ideias e o teatro desenvolvido pelos adeptos da *commedia dell'arte*, mas não chega a ir mais longe nas raízes da improvisação. É verdade que o termo finalmente conseguiu entrar no vocabulário psicológico oficial, e, de fato, o *APA dictionary of psychology* [Dicionário de psicologia da Associação Psicológica Americana (APA)] define *improvisação,* "no psicodrama", como "a atuação espontânea de problemas e situações sem preparação prévia" (VanderBos, 2007, p. 471). No entanto, o caminho percorrido pelo fenômeno foi longo e difícil.

Felizmente, na literatura especializada vários autores nos ajudam a entender os alcances históricos do conceito. Para o erudito francês Pierre Louis Duchartre, por exemplo, "comediantes, dramaturgos, poetas e curandeiros pertencem a todos os tempos", portanto a improvisação, conclui, "foi e sempre será a primeira das artes do teatro" (Duchartre, 1966, p. 24). Segundo ele, em seu livro *The Italian comedy* [A comédia italiana], é preciso buscar os precursores dos improvisadores italianos em Susarion, que, "oito séculos antes de Cristo, formou um grupo de comediantes em Icária e vagou por toda a Grécia", e também em Téspis, "com sua carreta de vagabundos lambuzados que faziam comédias com música" (Duchartre, 1966, p. 24). Sobre isso, a enciclopédia *Britannica* informa que Téspis, poeta do século VI a.C., é considerado, "segundo a antiga tradição, o primeiro ator do teatro grego" (Britannica, 2018).

Duchartre considera que o berço da *commedia dell'arte* é a cidade osca de Atella, agora conhecida como Aversa, onde foram criadas as *Atellanæ*, "comédias e farsas populares, paródias e sátiras políticas" (Duchartre, 1966, p. 18). Segundo ele, o historiador Tito Lívio relata que "em seu próprio tempo a literatura osca era estudada tanto quanto a grega". O pesquisador francês comenta também que "os etruscos ensinaram muito aos romanos sobre o drama" e que o teatro deles na cidade de Tusculum já era construído em pedra "quando os de Roma ainda eram de madeira". Quanto às *Atellanæ*, Duchartre afirma que eram peças improvisadas em palcos e que "desfrutaram de tanto sucesso em Roma que eclipsaram completamente o teatro clássico regular" (p. 25).

A propósito, a *Britannica* confirma que essas peças "se tornaram um entretenimento popular durante a antiga república romana e o início da Roma imperial". A enciclopédia agrega ainda que "não há qualquer registro dessas farsas depois do século I a.C.", mas que "alguns dos personagens típicos da *commedia dell'arte* italiana refletem a influência das peças *Atellanæ*" (Fabula Atellana, 2022).

Durante os primeiros séculos de nossa era, conta Duchartre, os grupos que mantiveram as tradições das *Atellanæ* eram "companhias itinerantes que atuavam também nos palcos-plataformas nas praças públicas" (Duchartre, 1966, p. 26). Ele acrescenta que os padres da Igreja católica tinham olhado sempre com receio para "as cabriolas soltas dos cômicos ambulantes, cujos trajes e piadas cheiravam com frequência demais a puro paganismo". Duchartre afirma ainda que seus entretenimentos chegaram a ser proibidos por serem "sacrílegos e blasfemos", que a presença das mulheres lhes parecia "igualmente imoral", e que por isso os papéis femininos foram "gradualmente abolidos" (p. 28), passando a ser representados por homens.

Com a chegada do Renascimento, informa o autor de *The Italian comedy*, o teatro popular recuperou sua importância: "as *Atellanæ* voltaram à moda e encontraram a mesma aceitação que o teatro patrício". Duchartre explica também que o drama escrito, normalmente representado pelos "acadêmicos", era conhecido como *commedia sostenuta*, enquanto "a comédia improvisada, com suas máscaras tradicionais, era chamada de *commedia dell'arte*". Segundo ele, os dois tipos floresceram lado a lado na Itália, "desde o século XVI até fins do XVII" (p. 28-29).

POR DENTRO DA *COMMEDIA DELL'ARTE* E DO TEATRO POPULAR

Outro autor que ilustra de perto o fenômeno da improvisação é Andrea Perrucci, que publica em 1699 *A treatise on acting, from memory and by improvisation (1699)*: *dell'arte rappresentativa, premeditata ed all'improviso* [Um tratado sobre a atuação, de memória e por improvisação: da arte representativa, premeditada e de improviso]. Nascido em Palermo e educado em Nápoles, advogado, dramaturgo e ator, Perrucci tinha traduzido obras do espanhol Lope de Vega num período em que grupos espanhóis "invadiam Nápoles, passando dali para as cortes de embaixadores por toda a península" – conforme conta a professora de Letras Modernas Nancy L. D'Antuono, que assina o prefácio da edição bilíngue inglês-italiano (Perrucci, 2008, p. VII).

D'Antuono afirma também que "Perrucci emerge de seu texto como o próprio Lope: um homem que possui a alma de ator – ansioso por libertar-se das amarras da tradição, guiado pelo princípio de que 'Às vezes sair da regra é a maior regra que há'" (p. VIII). Perrucci organiza seu tratado em duas partes, cada uma com quinze regras.

Na quarta regra da primeira parte, por exemplo – de onde sai o princípio a que se refere D'Antuono –, o autor informa que o costume de cantar as comédias vinha da Antiguidade que, ainda que o canto tenha sido progressivamente abandonado, continuavam sendo compostas em versos. Assim, "para que o desempenho fosse mais realista", os versos também foram abandonados, e a primeira peça em prosa, *La Calandria,* do cardeal Bernardo Dovizi, foi publicada em Siena (1521) e em Roma (1524), comenta Perrucci (p. 27).

Ainda na regra 4, e sobre o fato de que máquinas e outros recursos de simulação nos palcos já eram "antigos, não modernos", Perrucci comenta: "como disse Festus, intérprete de Aristófanes, o derramamento de sangue artificial foi também descoberto pelos Antigos, e por isso podemos dizer com razão *nil novum sub Sole* [nada de novo sob o sol], exceto que as invenções ou são revividas ou algo é acrescentado a elas" (p. 28-29). Aliás, este último comentário de Perrucci acaba se aplicando também à origem do método psicodramático desenvolvido por Moreno.

Mesmo assim, no prefácio da segunda parte de seu tratado, "Sobre a improvisação na representação", Perrucci afirma que a encenação de comédias improvisadas, "desconhecida para os antigos, é uma invenção de nosso tempo. Não encontrei uma palavra sobre isso em nenhum de seus escritos". Assim, observa, "parece que até agora só na bela Itália surgiu algo assim" (p. 101).

Perrucci expressa a opinião de que uma empresa "tão fascinante quanto difícil e arriscada" não deve ser experimentada "a não ser por pessoas qualificadas e competentes", "já que têm de cumprir *all'improviso* o que faz um poeta com premeditação" (p. 101). É verdade, previne o dramaturgo palermitano, que "dizer *quidquid in buccam venit* [o que vem à cabeça] sem dúvida resultará em disparates", e afirma estar de acordo com "aquela pena de ouro" [Cícero] segundo a qual "ter algo pensado e preparado para pronunciar em grande medida aumenta a clareza da apresentação". No entanto, acrescenta:

> Rio dos que estão acostumados a realizar comédias só com roteiro e que dizem que um ator que improvisa não é bom, por essa mesma razão; porque quem sabe improvisar perfeitamente, o que é mais difícil, descobrirá que é mais fácil atuar numa comédia com roteiro, o que não é tanto. De fato, o ator que improvisa sempre será capaz de um golpe de mestre: se sua memória falhar, ou se cometer um erro, é capaz de corrigi-lo e o público não se dará conta de nada, enquanto um ator que recita como um papagaio ficará sem palavras em qualquer lapso. (p. 101)

É um equívoco deduzir que a improvisação é um fenômeno associado sobretudo à *commedia dell'arte*. Apesar de essa modalidade de teatro ter se estendido por séculos, a literatura especializada mostra que em diferentes períodos históricos foram registradas manifestações de *impromptu* em outros âmbitos do chamado "teatro popular". A comédia italiana entra também nessa categoria, e Duchartre menciona o historiador Jean-Nicolas de Tralage, escritor francês do século XVII, para argumentar que a *commedia* floresceu em terras italianas porque ali – afirma De Tralage – "o teatro é tão popular que a maioria dos homens que trabalham se priva dos alimentos a fim de ter meios para ir às peças" (Duchartre, 1966, p. 19).

O problema, destaca Duchartre, é que "todas as formas de arte popular, via de regra, foram consideradas por literatos e historiadores como pouco importantes" (p. 26). Joel Schechter, professor de artes teatrais na Universidade Estadual de São Francisco, Califórnia, e organizador do livro *Popular theatre: a sourcebook* [Teatro popular: um livro de referência], opina no mesmo sentido, afirmando que "o teatro popular raramente acaba sendo impresso". Segundo ele, o termo "*popular theatre*" usado em inglês vem do francês "*théâtre populaire*" e abarca todas as manifestações e espetáculos públicos populares, começando pelos "antigos mímicos gregos e suas contrapartes não ocidentais" (Schechter, 2003, p. 3-4).

Schechter afirma que, por milhares de anos, "formas populares como a mímica, a pantomima, o teatro de sombras e os palhaços estiveram disponíveis para várias populações, incluindo as classes baixas urbanas e aldeões de toda a Europa e Ásia" (p. 3). Além disso, explica o professor, essas diferentes formas populares de teatro "se prestam a adaptação, reinterpretação e mudanças de conteúdo, porque se originam em tradições de representação não escritas e improvisadas" (p. 10).

Os professores Carlo Mazzone-Clementi e Jane Hill, por sua vez, em seu artigo "Commedia and the actor" [A *commedia* e o ator], publicado também no livro *Popular theatre*, comentam:

> A prontidão do ator é um elemento importante na *commedia*. O ator, além de conhecer seu personagem intimamente, deve ser capaz de aceitar um cenário proposto, um mero esqueleto de trama-e-circunstâncias, e criar. Sua criação deve ser original, imprevisível e equilibrada. Em seu melhor momento, *commedia* é um *tour de force* para o ator, limitado unicamente por sua imaginação, suas habilidades e a capacidade de seus pares para responder, interagir e criar com ele espontaneamente. O ator de *commedia* nunca trabalha sozinho. Suas excursões de virtuoso não devem proceder nunca de seu próprio eu. Deve haver uma consciência constante do todo. (Mazzone-Clementi & Hill, 2003, p. 87)

Ele mesmo ator de *commedia*, Mazzone opina que tanto o ator como seus colegas se lançam numa "situação improvisada, não no sentido atual de ser 'não ensaiada', mas em seu significado original de 'de repente'". Mazzone insiste que "a confiança, baseada nas habilidades reais e no conhecimento mútuo", é fundamental num grupo de *commedia*: "Vocês estão literalmente todos juntos nisso" (p. 87).

FORA DA EUROPA: A IMPROVISAÇÃO EM TERRAS AFRICANAS

A professora de Italiano e Literatura Comparada da Universidade da Califórnia Louise George Clubb expõe outro aspecto da improvisação, relacionado ao fenômeno musical, em seu artigo "Italian Renaissance theatre" [Teatro do Renascimento italiano], incluído na obra *The Oxford illustrated history of the theatre* [A história ilustrada do teatro, pela Universidade de Oxford]. Assim como o drama regular escrito compartilha com a música clássica uma aspiração a forma e estrutura imutáveis, afirma Clubb, "a comédia improvisada é similar ao jazz". Ou seja, explica, "o cenário/palco oferece as modulações orientadoras para o conjunto, o estado de ânimo estabelece um tempo, os voos solo são sustentados e ancorados por recursos individuais e pela habitual colaboração de dar-e-receber" (Clubb, 2001, p. 129).

A propósito, o organizador desse livro, John Russell Brown, professor de teatro na Universidade de Michigan e especialista em Shakespeare, sustentava a ideia de que, apesar de qualquer história do teatro escrito no ocidente começar por Atenas, "o teatro começou em muitos outros locais independentemente, e, em certo sentido, ainda está se criando de novo hoje em contextos até então desconhecidos" (Brown, 2001, p. 7). Essa observação é importante também para pesquisas sobre as origens do teatro de improvisação e suas influências no método psicodramático criado por Moreno.

Um aspecto pouco usual sobre a improvisação é apresentado nesse compêndio de história ilustrada do teatro, rompendo com a tendência a focar o continente europeu. Em seu artigo sobre "Beginnings of theatre in Africa and the Americas" [O início do teatro na África e nas Américas], o professor de drama Leslie du S. Read, da Universidade de Exeter, informa sobre o teatro *Egungun Apidan* [Representação de Milagres] "desenvolvido no império Oió Iorubá, provavelmente no fim do século XVI" (Read, 2001, p. 99). Confirmando o que disse Du S. Read, Joel A. Adedeji, da Universidade de Ibadan, Nigéria, revela em seu artigo "The origin and form of the Yoruba masque theatre" [A origem e a forma do teatro de máscaras iorubá] que se trata de um culto aos antepassados, cuja evocação acontece "numa cerimônia especial criada para dar a impressão de que o falecido está fazendo uma aparição temporária na terra" (Adedeji, 1972, p. 255).

Sobre esse teatro praticado em *Yorubaland*, território ocupado pelo povo iorubá em partes de três países da África Ocidental (Benin, Togo e Nigéria), Du S. Read explica que o espetáculo é apresentado por grupos itinerantes "de até quinze atores", e que "cada atuação consta de dezoito ou mais cenas, nas quais uma só máscara ou grupo de máscaras improvisa sobre uma sinopse insinuando uma história, uma situação, um personagem, um estado de espírito ou um poder mágico" (Read, 2001, p. 97).

Sobre isso, a etnógrafa Margaret Thompson Drewal, professora da Universidade Northwestern e autora do livro *Yoruba ritual: performers, play, agency* [Ritual iorubá: atores, peça, agência], comenta: "o caráter participativo do espetáculo iorubá significa que as posições do sujeito e do objeto estão sempre em processo de mudança durante a atuação". Segundo ela, os espectadores são livres para intervir e participar do ritual por meio de suas próprias improvisações. Com isso, os espectadores são ao mesmo tempo o público e os artistas, "colocando-se dentro e fora" da representação (Drewal, 1992, p. 15).

DE VOLTA À EUROPA, A IMPROVISAÇÃO: CONTRA E A FAVOR

Voltando ao continente europeu: em 1730, Luigi Riccoboni publica em Paris seu *Histoire du théâtre italien, depuis la décadence de la comédie latine* [História do teatro italiano, desde a decadência da comédia latina]. Ator de *commedia dell'arte* e escritor, Riccoboni começa pelo teatro de Roma, com seus três tipos de peças, "a tragédia, a comédia regular e a que era interpretada por mímicos e bufões", atribuindo a origem da comédia italiana ao terceiro tipo. Ele conta que "os antigos mímicos tinham adotado as *Attellanes*, que eram as farsas dos latinos", em vez das comédias regulares de Terêncio e de Plauto, e que "os mímicos modernos imitaram esse gênero de peças", ou seja, "esses tipos de farsa que são interpretados *à l'impromptu*" (Riccoboni, 1730, p. 30-31). Além disso, explica:

> O *impromptu* dá lugar à variedade do jogo, com a qual ao rever várias vezes o mesmo roteiro é possível rever cada vez uma peça diferente. O ator que atua de improviso atua de modo mais vivo e com mais naturalidade do que o que desempenha um papel aprendido; a pessoa se sente melhor, e consequentemente diz melhor o que produz do que o que é emprestado de outros com a ajuda da memória; mas essas vantagens da comédia atuada de improviso são adquiridas não sem muitos inconvenientes; ela implica atores engenhosos, os supõe realmente de talento igual, porque a desgraça do impromptu é que a atuação do melhor ator depende absolutamente da pessoa com quem ele dialoga; se é com um ator que não sabe capturar com precisão o momento da réplica, ou que o interrompe inoportunamente, seu discurso languidesce, ou a vivacidade de seus pensamentos se afoga. A figura, a memória, a voz, o sentimento em si não são suficientes para o ator que quer atuar de improviso; ele não pode chegar à excelência se não tem uma imaginação viva e fértil,

> uma grande facilidade de expressão, se não possui todas as sutilezas da língua, e se não adquiriu todos os conhecimentos necessários para as diferentes situações nas quais seu papel o localize. (p. 61-62)

Segundo comenta também Duchartre, o que acontece é que, como a técnica de improvisação exigia "as qualidades mais raras e variadas", um ator de *commedia dell'arte* tinha de ser "um acrobata, bailarino, psicólogo, orador e homem da imaginação, possuidor de um profundo conhecimento da natureza humana", para poder interpretar adequadamente os distintos papéis (Duchartre, 1966, p. 70). Além disso, acrescenta, o costume de improvisar com um ou mais colegas "emprestava um vigor adicional à atuação de uma companhia italiana, que finalmente conseguiu uma espécie de unidade das mentes, cada homem tendo um conhecimento perfeito das fragilidades de seu companheiro" (p. 73).

Na maior parte do tempo, informa Duchartre, era o diretor da companhia ou então um ou mais atores que assumiam o papel de compor os cenários. Esse método permitia "a cada ator reviver cenas nas quais ele pudesse usar seus talentos específicos da melhor maneira". No entanto, comenta, as companhias nunca puderam instalar-se por muito tempo em nenhum lugar, "porque ou bem a Igreja ou as autoridades civis quase sempre se opunham a elas" (p. 74).

Efetivamente, em seu livro *Improvisation as art: conceptual challenges, historical perspectives* [A improvisação como arte: desafios conceituais, perspectivas históricas], Edgar Landgraf, professor de alemão na Universidade Estadual de Bowling Green, Ohio, informa que "a proscrição da improvisação da maioria dos grandes palcos do mundo de língua alemã remonta a meados do século XVIII". Landgraf afirma que, na Alemanha, o crítico literário e dramaturgo Johann Christoph Gottsched foi o articulador da posição do Iluminismo "contrário à improvisação e a outras formas de 'arte inferior'", entendendo o fenômeno como "um sinal de preguiça e ignorância". Ou seja, diz Landgraf, apesar de sua "longa e venerável história na música, poesia e teatro", a improvisação passa a ser "vítima da distinção entre arte 'superior' e 'inferior'" (Landgraf, 2014, p. 42-43).

A crítica feita por Gottsched era que, de um lado, os atores já não memorizavam, e substituíam as peças convencionais por "farsas vulgares", e, de outro, que a improvisação "não persegue o universal, mas se aferra ao particular". Além disso, Landgraf identifica o problema como um sintoma "das tensões entre a crescente classe média e a aristocracia ainda dominante politicamente" durante aquele período. Não se trata apenas de que a improvisação seja com frequência associada ao burlesco, mas de que "suas formas mais reverentes praticadas na *commedia del'arte* e sua variante francesa, *la Comédie italienne*", argumenta Landgraf, estão "estreitamente vinculadas à estratificada cultura cortesã e à dualidade da aristocracia e das classes baixas, contra a qual escreve a burguesia" (p. 43-44).

Sempre segundo Landgraf, enquanto Gottsched rejeita a improvisação, três figuras notáveis na Alemanha assumem posições distintas: o dramaturgo e crítico Gotthold Ephraim Lessing, o escritor Johann Wolfgang von Goethe e o arqueólogo e crítico de arte Karl Ludwig Fernow, que publica em 1801 o primeiro livro sobre a tradição italiana da improvisação, *Über die Improvisatoren* [Sobre os improvisadores] (Fernow, 1801).

Lessing, por exemplo, manifesta claramente tendência favorável à improvisação em seu livro *Dramaturgia de Hamburgo*, ao escrever uma crítica ao autor de uma comédia representada em maio de 1767. Quando em determinada cena o personagem prefere exclamar algo segundo a etiqueta em vez de expressar-se com alegria e sinceridade, Lessing comenta: "Se eu fosse ator, nesse caso teria me atrevido com audácia a fazer o que o autor deveria ter feito. [...] Teremos de ter sempre mais interesse em mostrar humanidade do que boa educação" (Lessing, 1997, p. 170).

IMPROVISAÇÃO: O EXEMPLO DE GOETHE E A REAÇÃO DE MORENO

No âmbito desta investigação, no entanto, o principal dos três alemães mencionados é, sem dúvida, Goethe. É a ele que Landgraf se refere ao comentar que "não só está familiarizado e bastante fascinado com a improvisação como prática poética e teatral", mas que em seu próprio trabalho "se esforça por incorporar a sua obra dramática a ênfase da improvisação no performativo" (Landgraf, 2014, p. 46).

O exemplo mais claro do que Goethe faz em sua obra está em seu segundo romance, *Wilhelm Meisters Lehrjahre* [Os anos de aprendizado de Wilhelm Meister], publicado em 1795-1796. Trata-se de uma cena na qual o jovem Wilhelm acompanha um grupo de atores a um passeio de barco:

— O que fazemos agora? — disse Filina, depois que todos se acomodaram nos bancos.

— O melhor será — propôs Laertes — que improvisemos uma comédia. Que cada um escolha o melhor papel que caiba em seu caráter, e então veremos o que sai.

— Magnífico! — exclamou Wilhelm. — Pois numa companhia em que ninguém falseie e cada um siga sua inclinação não podem durar por muito tempo a animação e a alegria; tampouco ali onde todos fingem. Então isso não está mal pensado; vamos começar desde o primeiro momento por nos conceder o direito a fingir, e sejamos logo, sob a máscara, o mais sinceros que queiramos. [...]

Não tinham percorrido um trecho longo quando foi preciso deter a barca para tomar, com a vênia da companhia, outro passageiro que estava na outra margem, de onde fazia um sinal. [...]

Montou assim na barca um homem bem formado, o que por seu traje e sua respeitável figura poderia ser tomado por um eclesiástico. Saudou a companhia, que lhe devolveu a seu modo o cumprimento, e não tardou em colocar-se a par do que tramavam. Ouvido isso, nosso homem escolheu o papel de um padre de povoado, que, com admiração de todos, representou às mil maravilhas, entremeando conversas com historietas, deixando ver suas fraquezas, mas sem chegar a exceder-se. [...]

Entre umas coisas e outras, o tempo passou agradabilissimamente para eles, tendo aguçado a todos em engenho até onde podiam e desempenhado, todos, seus papéis com grato e divertido donaire. Desta sorte, chegaram ao lugar, e Wilhelm, passeando com o eclesiástico, que assim chamaremos em atenção a sua figura e seu papel, envolveu-se com ele num interessante diálogo.

— Vejo este exercício — disse o desconhecido — muito proveitoso entre atores, e até em tertúlias de amigos. É o modo de tirar os homens de suas casinhas e devolvê-los a elas, dando uma volta. Deveria ser praticado em todas as companhias de histriões para que desta forma se adestrassem, e o público sairia ganhando se todos os meses se representasse uma comédia não escrita, para a qual os cômicos tivessem de se preparar em vários ensaios.

— Deveria ser concebida a obra improvisada — opinou Wilhelm — não como as que são compostas fora dos palcos, mas concordando em linhas gerais o argumento, a ação e a distribuição das cenas, mesmo deixando os atores em completa liberdade em relação ao modo de representá-la.

— Tem toda a razão — disse-lhe o desconhecido —, e precisamente, no que diz respeito à representação, uma obra como esta sairia muito bem assim que os atores pegassem o jeito. Não a representação por meio de palavras, que com elas o escritor pensativo adorna sua obra, mas a representação de gestos e rostos, exclamações e outros; em suma: a representação muda ou semimuda, que entre nós parece ter se perdido completamente. É verdade que há atores na Alemanha cujos corpos transmitem o que pensam e sentem; que por meio de silêncios, tremores, piscadelas, em virtude de movimentos ternos e graciosos do corpo, preparam um discurso e sabem ligar, graças a uma pantomima agradável, as pausas do diálogo com o grupo; mas um exercício como o que estou dizendo, que viria ajudar uma feliz disposição natural, e ensinar a competir com o escritor, não existe hoje, o que seria desejado, para o bem dos amantes do teatro.

— Mas — disse Wilhelm — não deveria um feliz natural levar a esse alto objetivo, não apenas um ator, mas qualquer artista e até mesmo qualquer mortal? Qual é o primeiro e qual é o último? (Goethe, 1991, p. 696-698)

Entre os comentários que este longo, mas necessário fragmento literário de Goethe pode suscitar, pelo menos três são oportunos. O primeiro provém da observação feita pelo "desconhecido", opinando que o exercício da improvisação proposto é "o modo de tirar os homens de suas casinhas e devolvê-los a elas, dando uma volta", ou seja, a concretização de um processo tanto psicológico quanto social, e as consequentes implicações pedagógicas para os que o executam. De fato, no caso concreto da sugestão de implantar o exercício em "todas as companhias de histriões para que assim se adestrassem", o argumento de sua utilidade é evidente.

Quanto ao segundo comentário, cabe identificar na resposta de Wilhelm sua concepção de "obra improvisada", semelhante à *commedia dell'arte*, ou seja, "concordando em linhas gerais o argumento, a ação e a distribuição das cenas", muito diferente da intenção de Moreno em seu *Stegreiftheater*, para quem a obra seria criada no exato momento de sua representação, sem roteiros ou personagens previamente estabelecidos.

Terceiro: seria interessante comparar a semelhança patente entre a última pergunta de Wilheim – "levar a esse alto objetivo, não apenas um ator, mas qualquer artista e até mesmo qualquer mortal?" – e o comentário feito por Moreno no ponto IV da introdução "Sobre o gênio", de sua autobiografia:

> Se um homem pensa que é um Deus, um Demônio ou um Dom Juan, mas não consegue expressar isso, suas fantasias podem ser reforçadas por meio de técnicas psicodramáticas, ao ponto de esses papéis passarem a ser reais e visíveis para o mundo. Esta foi a função inconsciente do teatro desde seus primórdios. Mas o que o teatro faz para alguns poucos atores, o psicodrama pode fazer para cada homem. Ele não tem que ser ou provar que é Deus. Só tem que pensar que é, e com a ajuda do psicodrama podemos fazer o resto. (Moreno, 2019, p. 12)

Por outro lado, em 1973, um ano antes de sua morte, Moreno reedita seu *The theatre of spontaneity* com um capítulo novo, "Goethe e o psicodrama", apresentando um artigo do pesquisador alemão Gottfried Diener, que em 1971 tinha publicado *Goethes "Lila": Heilung eines "Wahnsinns" durch "psychische Kur"* ["Lila" de Goethe: cura de uma "loucura" por "tratamento psíquico"]. O próprio Moreno acrescenta seus "Comentários sobre Goethe e o psicodrama" depois de informar, no prefácio, que o novo texto "registra a importância de Goethe tanto como pioneiro da terapia através do drama como pelo seu senso estético para a produção espontânea" (Moreno, 2012, p. 12).

"Isso é surpreendente" – comenta Eberhard Scheiffele, em seu artigo "Therapeutic theatre and spontaneity: Goethe and Moreno" [Teatro terapêutico e espontaneidade: Goethe e Moreno] –, "já que Goethe raramente foi relacionado com a terapia e a espontaneidade" (Scheiffele, 2006, p. 3). Apesar de reconhecer a semelhança entre várias ideias literárias do escritor alemão e "alguns elementos do psicodrama", Scheiffele rechaça a afirmação de que Goethe tenha sido "um precursor da espontaneidade". Ao contrário, argumenta, "Goethe é conhecido sobretudo como parte, se não como o princípio, da tradição de diretores alemães que assumiam o controle completo de todos os aspectos da produção" (p. 6-7).

Seja como for, no final de sua vida, Moreno afirma no prefácio ser "uma grande honra saber que o exímio poeta Johann Wolfgang von Goethe concebeu ideias de tipo psicodramático e que escreveu obras sobre o tema", confirmando estar informado sobre o interesse que teve o filósofo "pelo teatro improvisado" e especificamente sobre o que escreveu Goethe no "segundo livro, capítulo 9º" de *Lehrjahre* [Os anos de aprendizado], de onde provém a cena do grupo de Wilhelm no barco (Moreno, 2012, p. 181). Quanto à obra *Lila*, seus aspectos "psicodramáticos" serão tratados no próximo capítulo, dedicado ao teatro terapêutico.

A IMPROVISAÇÃO E SUAS CONTROVÉRSIAS: ALEMANHA, ÁUSTRIA, FRANÇA E INGLATERRA

O que interessa reter é que as tendências a favor e contra a improvisação estiveram presentes durante vários séculos na Europa e que, especificamente na Alemanha, Goethe também a "instrumentalizou" – como diz Edgar Landgraf – pelo menos em suas criações literárias. Landgraf também comenta que, "como dramaturgo e diretor, Goethe não era conhecido por deixar muito espaço ao acaso ou à improvisação", mas acrescenta que estudos recentes mostraram que "seu compromisso com a improvisação é permanente e tem uma variedade de formas" (Landgraf, 2014, p. 52).

Como exemplo, Landgraf menciona o uso que Goethe faz da versão alemã do personagem da *commedia dell'arte* Arlequim, conhecido como *Hanswurst* [João Salsicha]. Curiosamente, trata-se do mesmo personagem cômico ao qual a atriz Elisabeth Bergner – que também atuou com Moreno em seu *Stegreiftheater* – se refere em sua autobiografia, como lembrança importante de sua experiência infantil em Viena (Bergner, 1978, p. 13).

Acontece que também na Áustria a *commedia dell'arte* foi um fenômeno de teatro popular. Duchartre comenta: graças aos hábitos itinerantes das companhias, a *commedia* "chegou a ser amplamente conhecida não só na Itália e na França, mas em quase todos os países da Europa" (Duchartre, 1966, p. 80). Sobre o caso austríaco, ele oferece o exemplo do ator veneziano Giovanni Tabarino, que "veio a ser 'ator de sua Majestade' em Viena, onde provavelmente ficou até cerca de 1574" (p. 86). Além disso, informa Duchartre que no século XVIII "houve uma companhia em Viena, durante os reinados de Leopoldo, José e Carlos IV, que se utilizava não só dos métodos, mas dos personagens da *commedia dell'arte*" (p. 80). No entanto, observa, o grupo fazia novas versões de alguns desses papéis, "para se adaptar ao gosto do público austríaco" (p. 119).

Segundo afirmam os professores de teatro Peter Holland, da Universidade de Cambridge, e Michael Patterson, da Universidade de Montfort, autores do artigo "Eighteen-century theatre" [Teatro do século XVIII], a tradição local mais forte na Áustria "estava no teatro popular, na farsa buliçosa e na improvisação de atores como Stranitzky, Kurz e Laroche". Observam que seus personagens cômicos, "versões escatológicas do Arlequim da *commedia del'arte*", eram os "Hanswurst, Bernardon ou Kasperl", e foram capazes de entreter "gerações de vienenses". Além disso, comentam, a qualidade era tal que lhes era permitido "atuar nos mais prestigiosos teatros de Viena" (Holland & Patterson, 2001, p. 288-289).

No entanto, informam Holland e Patterson, a imperatriz Maria Teresa, decidida a "elevar a qualidade dos espetáculos teatrais em sua capital", emitiu em 1753 uma proibição sobre a improvisação e a apresentação de "peças ordinárias buliçosas", com penalidades que, quando da terceira infração, chegavam a "uma sentença de prisão perpétua". Ainda assim, observam, a tradição popular continuou, e "de fato floresceu nos chamados *Vorstadttheater* [teatros suburbanos]" (p. 289).

De sua parte, John Rudlin, professor de Drama na Universidade de Exeter, conta em seu livro *Commedia dell'arte: an actor's handbook* [*Commedia dell'arte*: um manual do ator] que na França daquele período os diálogos eram proibidos por lei nas feiras, "exceto nas cabines de marionetes", e por isso os atores "tiveram que voltar a suas origens como malabaristas, equilibristas, bailarinos, cantores e mímicos" (Rudlin, 2007, p. 6).

Já na Inglaterra, segundo Holland e Patterson, a *Licensing Act* [Lei de Licenças] de 1737 "não só restringia a produção de teatro convencional aos teatros registrados como também exigia que toda peça fosse censurada por Lord Chamberlain" (Holland & Patterson, 2001, p. 260). Ou seja, se se considerar pelo menos a situação de censura na Alemanha, Áustria, França e Inglaterra, é fácil deduzir os riscos que o exercício da improvisação representava aos que decidiam praticá-la, sobretudo em público.

A COINCIDÊNCIA ENTRE MORENO E ADAM MÜLLER

Em *Improvisation as art* [A improvisação como arte], Edgar Landgraf apresenta também a teoria da "comédia universal" proposta pelo filósofo alemão Adam Müller, em 1806. Segundo Landgraf, Müller prevê que essa comédia universal vai revelar "a liberdade divina da humanidade" e conduzirá à "democratização do teatro e da sociedade". Para que isso ocorra, o filósofo propõe "o retorno ao teatro da improvisação" (Landgraf, 2014, p. 84).

Pela semelhança entre as ideias desse representante do romantismo alemão e as experiências de Moreno mais de cem anos depois, vale a pena reproduzir parte das formulações de Müller expostas em seu *Kritische Schriften* [Escritos críticos] e retomadas por Landgraf. O filósofo imagina um tempo no qual "a vida real no auditório e a vida idealista no palco estarão tão conformes", afirma Müller, "que os atores simplesmente estabelecem o tom para um grande diálogo que se produz entre a audiência e o palco" (*apud* Landgraf, 2014, p. 84).

Segundo Landgraf, Müller dá o exemplo do público vienense, que "criou e nutriu seus próprios personagens de comédia", como "Kasperl, Tadädl, Tinterl", com a esperança de que um dia a Alemanha "tenha a capacidade de produzir tal comédia universal" (p. 85). Verdade seja dita, o autor anônimo de *Das Stegreiftheater* também faz referência a Kasperl, herdeiro do *Hanswurst* do teatro popular de Viena, como um dos "tipos recorrentes" do teatro de marionetes (Anônimo, 1923, p. 39).

Landgraf comenta que as peças e novelas do período romântico, "conhecidas por sua ênfase na espontaneidade e na criatividade", faziam constante referência à improvisação. Ele explica que seus autores adotavam os elementos da *commedia dell'arte*, apresentando situações que obrigavam os personagens a improvisar "no sentido mais amplo do termo (atuar espontaneamente em circunstâncias inesperadas)". Landgraf afirma que essas obras utilizavam também o que ele chama de "improvisação no palco", ou seja, "com o fim de criar a aparência de espontaneidade, simulando que as ações no palco não estão seguindo um roteiro, mas são reações *ad hoc* a circunstâncias imprevistas" (p. 85).

É importante destacar que o Romantismo, que a *Britannica* define como "atitude ou orientação intelectual que caracteriza muitas obras da literatura, da pintura, da música, da arquitetura, da crítica e da historiografia na civilização ocidental", abarca um período que se estende entre fins do século XVIII e a metade do XIX (Britannica, 2021). No caso da Alemanha, a enciclopédia apresenta o "romantismo alemão" no âmbito do teatro, observando que surgiu nesse país nas primeiras décadas do século XIX e que "cinquenta anos depois ainda era forte" (Izenour, Bay & Howard, 2020).

No tópico "Repensando o espaço do teatro", Landgraf informa que no centro da descrição feita por Müller de seu conceito de "comédia universal" está "o diálogo entre a audiência e o palco". Para esse representante do romantismo alemão, o diálogo é o que distingue a comédia da tragédia "monologal". Segundo Landgraf, em seu *Schriften* Müller afirma que, "na comédia, tudo está relacionado diretamente ao público", enquanto, "na tragédia, só indiretamente", acrescentando ser "por isso que a comédia possui uma natureza mais dialógica e democrática" (Landgraf, 2014, p. 87). Tentando explicar mais detidamente o ponto de vista de Müller, Landgraf comenta:

> O diálogo define a temporalidade da comédia, orientando-a para o presente; também estrutura o processo criativo, redefinindo as relações entre o artista e a obra, mediante a inclusão de contribuições dos atores e do público; por último, o diálogo recodifica o espaço teatral, o que permite à plateia figurar também como palco e o palco como plateia. As três características estão interconectadas, forjando o que Müller chama de união entre a vida real e a vida idealista (Landgraf, 2014, p. 87).

Na literatura psicodramática, não parece haver qualquer evidência de que Moreno tenha lido Adam Müller, mas a coincidência entre os pontos de vista dos dois pensadores é patente, tanto no que se refere à relação entre atores e público como na união entre o que Moreno chama de "vida" e "vida psicodramática" (Moreno, s.d., p. 282).

Além disso, comenta Landgraf, o repensar do espaço teatral é visto por Müller como um "elemento central da comédia romântica". O filósofo alemão singulariza a figura de Arlequim na *commedia dell'arte* como o representante do público no palco, "tradição que Müller observa nas comédias de Ludwig Tieck" (Landgraf, 2014, p. 88). Segundo informa a *Britannica*, o escritor alemão Tieck, "um verdadeiro inovador na primeira metade do século XIX", advogava por uma "atuação realista na plataforma do palco" e defendia "o palco aberto, com a convicção de que o realismo pictórico destrói a verdadeira ilusão do teatro" (Izenour, Bay & Howard, 2020). Landgraf conta que Tieck não só desempenhava personagens individuais que representavam o público, mas também construiu "um segundo palco, menor, no palco grande, o qual contava com seu próprio público, mais reduzido" (Landgraf, 2014, p. 88).

MORENO E STANISLAVSKI? "NÃO TEM RELAÇÃO ALGUMA"

1898: enquanto Moreno completa seus nove anos, a história da improvisação registra que o russo Constantin Sergeevich Alexeiev, já com seu pseudônimo Stanislavski, dirige no Teatro de Artes de Moscou a apresentação da peça *A gaivota*, de Anton Tchekhov. É o resultado bem-sucedido do que será conhecido como o "método Stanislavski", que a *Britannica* define como um "sistema altamente influente de capacitação dramática desenvolvido ao longo de anos de ensaio e erro". Segundo essa fonte, o sistema exige que o ator utilize "sua memória emocional" (ou seja, sua lembrança de experiências e emoções passadas)". A ideia é que, "uma vez que tenha treinado sua concentração e seus sentidos", o ator possa "responder livremente ao ambiente total do palco". Além disso, comenta a enciclopédia, é "por meio da observação empática das pessoas em muitas situações diferentes que os atores tentam desenvolver uma ampla gama emocional". Com isso, "suas ações e reações no palco aparecem como se fossem uma parte do mundo real em vez de um sonho" (Britannica, 2016).

Decênios depois, em sua primeira edição de *Psicodrama*, de 1946, o próprio Moreno tenta explicar as diferenças entre os dois métodos:

> O teatro para a espontaneidade não tem relação alguma com o chamado método de Stanislavski. Nesse método, a improvisação é um complemento da finalidade de representar um grande Romeu ou um grande Rei Lear. O elemento de espontaneidade tem, neste caso, o propósito de servir à conserva cultural, de revitalizá-la. O método de improvisação, como princípio primário, a ser desenvolvido sistematicamente *apesar da* conserva e do serviço consciente dela, estava fora do domínio de Stanislavski. Uma leitura cuidadosa de seu livro, *An Actor Prepares* [A preparação do ator],* uma brilhante exposição da arte dramática, esclarece esse ponto. Ele limitou o fator da espontaneidade à reativação de recordações carregadas de emoção. Essa abordagem vinculou a improvisação à experiência passada, em vez do momento. Mas, como sabemos, foi a categoria do momento que conferiu à obra espontânea e ao psicodrama sua revisão e direção fundamentais. (Moreno, 1975, p. 88)

* Em nota de rodapé, Moreno menciona: "Stanislavski, Constantin, *An Actor Prepares*, Theatre Arts, Inc., Nova York, 1936".

Mais uma vez, nesse texto, Moreno aproveita a oportunidade para deixar patente sua crítica à visão freudiana, agregando:

> A ênfase sobre as recordações carregadas de emoção coloca Stanislavski em curiosa relação com Freud. Também Freud tentou fazer seu paciente mais espontâneo, como *Stanislavski procurava fazer seus atores mais espontâneos na representação de papéis conservados*. À semelhança de Stanislavski, Freud tentou evocar a experiência real do sujeito, mas preferia também as experiências intensas do passado ao momento – se bem que para uma aplicação diferente – no tratamento dos distúrbios mentais. Embora trabalhando num domínio diferente, Freud e Stanislavski eram contrapartes que se correspondiam um ao outro. (p. 88, itálico no original)

ENQUANTO ISSO, NA RÚSSIA, O TEATRO DE EVREINOFF

Da Rússia vêm outros dois nomes inovadores do teatro moderno, diretamente vinculados tanto à prática como à teoria da improvisação: Nicolai Evreinoff (1879-1953) e Vladimir Iljine (1890-1974). O primeiro teve parte de sua produção em russo traduzida e publicada em Nova York em 1927, com o título de *The theatre in life*, enquanto o segundo parece permanecer inédito em outros idiomas. Por suas experiências com o teatro terapêutico, ambos serão tratados com mais detalhes no próximo capítulo, mas aqui cabe analisar brevemente suas contribuições no âmbito da improvisação.

Para Oliver M. Sayler, crítico de teatro norte-americano que fez a introdução da obra de Evreinoff, seu livro é "a primeira declaração adequada dos fundamentos psicológicos da revolta contra o realismo dramático" (Sayler, 1927, p. VIII). Evreinoff começa dizendo que o teatro "é infinitamente mais amplo que o palco"; que tanto no reino vegetal como no animal há exemplos disso, e que em ambos os "pequenos atores silenciosos" obedecem ao princípio puramente teatral de "fingir ser diferentes do que realmente são" (Evreinoff, 2013, p. 13).

Para ilustrar seu ponto de vista, Evreinoff cita o livro *The Naturalist in La Plata* [Um naturalista no Rio da Prata], do naturalista e ornitólogo argentino-britânico Guillermo Enrique Hudson, reproduzindo a passagem na qual Hudson descreve o exemplo das aves rupícolas:

> Há danças humanas nas quais só uma pessoa atua de cada vez, com o resto da companhia observando; e algumas aves, de gêneros muito distintos, fazem danças desse tipo. Um exemplo notável é a rupícola, ou galo-da-serra, da América do Sul tropical. Um lugar plano, de terra coberta de musgo e rodeada de arbustos, é escolhido como local de dança, e mantido bem limpo de pedras e paus; ao redor dessa área as aves se reúnem, e um galo-da-serra, com crista vívida e plumagem laranja-escarlate, dá um passo à frente e, com as asas e a cauda abertas, começa uma série de movimentos como se dançasse um minueto. Finalmente, levado pela excitação, salta e gira da maneira mais surpreendente, até que, esgotado, se retira, e outro pássaro toma seu lugar. (Evreinoff, 2013, p. 15; Hudson, 1892, p. 261-262)

Sobre isso, comenta Evreinoff, "é preciso admitir que é uma dança, que é apresentada num palco com espectadores ao redor", acrescentando: "Quem poderia negar a *teatralidade* dessa original e elaborada peça de pássaros?". Ele formula o conceito de *teatralidade* como um instinto que "pode ser mais bem descrito como o desejo de ser 'diferente', de fazer algo que é 'diferente', de imaginar a si mesmo em entornos que são 'diferentes' dos entornos comuns de nossa vida cotidiana" (Evreinoff, 2013, p. 23).

O dramaturgo e diretor de teatro russo revela que sua visão foi atacada na Rússia "todos os dias e em todos os aspectos pelos ideólogos do Teatro de Arte de Moscou", informando também que "o sr. Stanislavski declarou já em 1911 que 'a teatralidade é um mal com o qual não se pode reconciliar'" (p. 150). Evreinoff propõe "o teatro para si mesmo", definindo-o como *Theatrum extra habitum mea sponte!* [Teatro fora do hábito por minha própria vontade!], explicando que "o teatro que estou defendendo não tem lugar ou edifício especiais" (p. 190). A isso, acrescenta: "todo artista do 'teatro para si mesmo' deve ser seu próprio autor. É exatamente na improvisação livre que se encontra um dos maiores atrativos dessa instituição" (p. 195).

Quanto ao "teatro para si mesmo", é importante observar, de um lado, o que informa Evreinoff: "a primeira parte de meu livro que leva esse título surgiu em 1912" (p. 251), e, de outro, seu comentário de que "no verão de 1914 estive em Viena e visitei o Prater", agregando que "um autêntico Hanswurst atuou no palco aberto do mercado" (p. 111). No entanto, não há qualquer evidência de que Moreno e Evreinoff tenham se encontrado nesse período, nem que Moreno em Viena tenha lido a respeito ou ouvido falar dos experimentos do diretor russo em Moscou.

Diante dessas duas questões, em seu artigo "Evreinoff and Moreno: monodrama and psychodrama – parallel developments or hidden influences?" [Evreinoff e Moreno: monodrama e psicodrama – desenvolvimentos paralelos ou influências ocultas?], publicado na revista da Associação Britânica de Psicodrama em 1999, John Casson opina que a resposta poderia ser negativa: "Há muitas instâncias, na história da dramaterapia e do psicodrama, de desenvolvimentos paralelos em todo o mundo que continuam sem contato ou influência direta" (Casson, 1999).

O fato é que, já nos Estados Unidos, Moreno demonstra conhecer a obra de Evreinoff, reagindo de maneira crítica ao dramaturgo russo no primeiro volume de seu *Psychodrama*:

> Pode ser notado que a frase popular "A vida é teatro" é frequentemente enfatizada de um modo equívoco.* Os papéis desempenhados na vida e os papéis representados no palco têm uma semelhança meramente superficial; mais ponderadamente considerados, possuem um significado muito diferente. Na vida, os nossos sofrimentos são reais, nosso amor, nossa fome, nossa cólera, são reais. É a diferença entre realidade e ficção: ou, como disse Buda: "O que é terrível ser é agradável de ver". (Moreno, 1975, p. 85)

EM KIEV, O TRABALHO DE VLADIMIR ILJINE

Quanto ao médico, biólogo e filósofo Vladimir Iljine, seu nome parece ter começado a circular na literatura especializada a partir do artigo "Das 'Therapeutische Theater' V. N. Iljines als Form Dramatischer Therapie" [O "Teatro Terapêutico" de V. N. Iljine como forma de terapia dramática], publicado pelo psicólogo alemão Hilarion Petzold em 1973. Petzold informa que Vladimir Nikolaevich Iljine trabalhou entre os anos 1908 e 1917 fazendo teatro "com pacientes psiquiátricos, com estudantes com transtornos emocionais, mas também com artistas, o que teve um objetivo acima de

* Em nota de rodapé, Moreno acrescenta: "Evreinoff comete esse equívoco em seu *Theatre in Life* [Teatro na vida]".

tudo terapêutico". A isso acrescenta que, com a colaboração do professor da Universidade de Kiev Vasily Zenkovsky, seu teatro também "foi utilizado como método pedagógico-didático" (Petzold, 1973, p. 99).

Segundo Petzold, Iljine e Evreinoff tomaram como pontos de referência essenciais, a partir de seus estudos sobre a história do teatro, "a mímica e a pantomima da Antiguidade, assim como a *commedia dell'arte*". O psicólogo alemão afirma também que:

> Iljine utilizou um treinamento de improvisação orientado a ensinar flexibilidade, sensibilidade, expressividade e comunicação. Como biólogo, era natural para ele adotar sequências de movimentos e reações de animais nesse treinamento, como por exemplo o elástico e sigiloso andar, saltar e cair do gato, cujo comportamento foi observado e utilizado para exercícios de expressão em inúmeros estudos de movimento. O rolar e o correr alegremente de filhotes caninos, o investir das aves de rapina, o elástico arrastar-se dos répteis, o espreguiçar-se distendido dos felinos. (p. 103)

Analisando a contribuição de Iljine a partir dos elementos aportados por Petzold, o professor Phil Jones, do Instituto de Educação da University College de Londres, o apresenta em seu livro *Drama as therapy: theatre as living* [O drama como terapia: o teatro como vida] – juntamente com Evreinoff e Moreno – como um dos três precursores da *dramatherapy* [dramaterapia], ou seja, "a participação no teatro com uma intenção de cura" (Jones, 1996, p. 57).

Petzold afirma que, com o início da Revolução Soviética, Iljine teve de abandonar o país e que "emigrou primeiro para Constantinopla, na Turquia, depois para Budapeste (1922) e Berlim (1924), para instalar-se finalmente em Paris (1928)" (Petzold, 1973, p. 103-104). No artigo, Petzold cita o comentário feito pelo próprio Iljine em 1972:

> Outro impulso decisivo experimentei em Berlim, quando caiu em minhas mãos o *Teatro da improvisação*, que surgiu de forma anônima (Moreno, 1923). Considero este livro, com os trabalhos de meu compatriota Stanislavski e com as ideias geniais de Artaud, como a parte mais importante para o teatro moderno, para não falar em absoluto de sua impor-

tância para a psicoterapia de grupo. A utilização, de forma sistemática, da espontaneidade como agente terapêutico e a constatação de Moreno de que "toda verdadeira segunda vez é a liberação da primeira" foram para mim os conhecimentos mais essenciais que adquiri a partir do *Teatro da improvisação* (p. 104-105).

Na sequência, informa o psicoterapeuta John Casson em seu *Drama, psychotherapy and psychosis* [Drama, psicoterapia e psicose] que Iljine traduziu *Das Stegreiftheater* para o russo em 1925. Casson agrega também que o médico de Kiev "finalmente encontrou Moreno em 1964, no primeiro congresso internacional de psicodrama em Paris" (Casson, 2004, p. 63).

O TEATRO DE JACQUES COPEAU E AS DIFICULDADES DE MORENO

Meses antes que Jacob Levy publicasse seu opúsculo *Einladung zu einer Begegnung* [Convite para um encontro] (1914), o francês Jacques Copeau abria em Paris, em 22 de outubro de 1913, o *Théâtre du Vieux-Colombier* [Teatro do Velho Pombal], com a ideia de fazer "importantes reformas teatrais, como 'a simplificação e, em muitos casos, a supressão da decoração' e 'das chamadas 'estrelas'" (Copeau, 1917/2014, p. 30). Copeau informa também sobre a criação de uma nova "escola *do Vieux-Colombier*", a fim de "colocar os atores de novo em contato com a vida e a natureza" (p. 33).

A professora de teatro Monique Surel-Tupin comenta em seu artigo "Dullin, le cirque et le music-hall" [Dullin, o circo e o teatro de variedades], do livro coletivo *Du cirque au théâtre* [Do circo ao teatro], que Copeau se entusiasma com o espírito do circo: "os artistas são realmente uma irmandade, não se pode fazer um sem o outro". Segundo Surel-Tupin, o fundador do *Vieux-Colombier* sente frequentemente "a necessidade de escapar do texto e acrescentar algumas palavras suas" (Surel-Tupin, 1983, p. 190).

De fato, o próprio Copeau comenta em seu *Registres du Vieux Colombier* [Registros do Velho Pombal] que "o hábito da improvisação oferece ao ator a flexibilidade, a elasticidade, a verdadeira vida espontânea da palavra e do gesto, o verdadeiro sentimento do movimento, o contato real com o público, a inspiração, o fogo, a paixão e a audácia do coringa" (Copeau, 1979, p. 323-324). A propósito, em seu artigo "Théâtre du Soleil" [Teatro do Sol], Christopher D. Kirkland reproduz um fragmento inédito do diretor e ator francês sobre improvisações, escrito em Limon, Suíça, em 1916:

> É uma arte que não conheço, e vou olhar em sua história. Mas vejo, sinto, entendo que esta arte deve ser restaurada, renascida, revisada; que só trará um teatro vivo – as obras dos atores. Deixar a literatura... Criar uma fraternidade de atores... vivendo, trabalhando, atuando juntos, inventando juntos seus jogos, desenhando a partir deles mesmos e dos demais. O pouco que fiz me leva a isso... Nossa meta é criar um novo teatro de improvisação, com os tipos e temas de nosso tempo. (Kirkland, 2003, p. 101)

No ano seguinte, já em Nova York – onde esteve com sua companhia, como informa a *Britannica*, até 1919 (Britannica, 1998) –, Jacques Copeau propunha, sempre segundo Kirkland, a limpeza do palco para a criação de "um teatro moderno totalmente novo e improvisado, com os tipos de personagens extraídos da sociedade contemporânea" (Kirkland, 2003, p. 102). No entanto, dez anos depois, Copeau mudaria de posição, passando a afirmar que o papel de diretor "não é ter ideias, mas entender e representar as do autor", e que "uma obra de teatro bem concebida comporta uma, e apenas uma, encenação: o que está escrito no texto do autor, como notas num pentagrama musical" (Kirkland, 2003, p. 102).

Enquanto isso, em Viena, o grupo de *Stegreiftheater*, "com seu objetivo de espontaneidade cem por cento, enfrentava enormes dificuldades", a começar pelo público, conta Moreno em sua autobiografia:

> Tinham sido educados para usar e confiar em conservas culturais em todos os âmbitos da vida e a desconfiar de sua própria espontaneidade. [...] Portanto, quando a verdadeira espontaneidade era apresentada a eles no *Stegreiftheater*, ou suspeitavam de que tinha sido bem ensaiada e [era] uma tentativa de enganá-los, ou, se uma cena era mal apresentada, a consideravam um sinal de que a espontaneidade não funcionaria. (Moreno, 1974, p. 24)

Tentando superar a desconfiança do público, Moreno comenta que recorreu à técnica do "diário vivo", argumentando que, "como as atuações se baseavam em acontecimentos atuais do dia, ninguém podia duvidar que eram espontâneas e sem ensaios". Ele explica que na realidade o grupo fez mais do que recriar cenas a partir dos jornais, procurando "entrar nos conflitos que causam o evento, tatear as motivações das pessoas envolvidas, e buscando projetar as resoluções finais das histórias dramatizadas" (p. 25). Mesmo assim, comenta:

> Sequer o êxito do "diário vivo" deixou o público mais confortável com a ideia de um teatro totalmente espontâneo. Eu pressentia uma tarefa enorme, mudar o público. Seria necessária uma revolução total em nossa cultura, uma revolução criativa. Esse era meu objetivo na vida, mas minha experiência e minha intuição me disseram que seria pouco provável que eu visse algo assim no curso de minha vida. (p. 25)

Finalmente, "a pior dificuldade" do jovem médico, narra ele, sempre em sua autobiografia:

> Vi meus melhores discípulos flertando com o clichê, inclusive quando atuavam improvisadamente. Por fim, se afastaram do teatro da espontaneidade e saíram para o palco convencional, ou se tornaram atores de cinema. [...] *Diante desse dilema, me dirigi "temporariamente" ao teatro terapêutico, uma decisão estratégica que provavelmente salvou o movimento do* Stegreiftheater *do esquecimento.* (p. 25-26, itálicos no original)

2. Curar-se atuando: o teatro terapêutico antes de Moreno

DUAS COMÉDIAS DE ARISTÓFANES E UMA SÁTIRA DE RACINE

Em 19 de junho de 1965, em Paris, o psicanalista grego Nicolas N. Dracoulides apresenta à Sociedade Francesa de História da Medicina a comunicação *Origine de la psychanalyse et du psychodrame dans les "nouées" et les "guêpes" d'Aristophane* [Origem da psicanálise e do psicodrama em *As nuvens* e *As vespas* de Aristófanes], publicada na revista *Histoire des Sciences Médicales* [História das Ciências Médicas] dois anos depois (Dracoulides, 1967). Nesse texto, que Moreno guardava nos arquivos de seu instituto em Beacon, Dracoulides afirma que Aristófanes, em suas comédias, "menciona várias vezes médicos, enfermidades e tratamentos", e especialmente casos de "etiologia psicógena".

O médico de Atenas chama a atenção para duas das comédias que sobreviveram intactas. Na primeira, *As nuvens*, o autor apresenta "toda uma cena da 'maiêutica da alma' de Sócrates, baseada no princípio de 'conhece-te a ti mesmo'" que, segundo Dracoulides, é "surpreendentemente similar aos princípios e à técnica da psicanálise moderna" (p. 101). O próprio Sócrates aparece como um dos personagens e, nessa cena, dialoga com Estrepsíades, agricultor ateniense, "no papel de um paciente rebelde" (p. 102):

> Estrepsíades – Que devo fazer?
> Sócrates – Pense um pouco em seus assuntos. [...]
> E – Isso não, te imploro; mas, se for possível meditar sobre eles, deixe-me fazê-lo no chão.
> S – Não é possível.
> E *(recostando-se no divã)* – Pobre de mim! [...]
> S – Procure primeiro o que deseja e me diga. [...]
> E – Você já ouviu mil vezes o que quero. São os juros, de modo que não teria que pagar nada a nenhum credor.

> S – Pois bem, cubra-se, e dividindo finamente seu pensamento em pequenos fragmentos, examine a fundo seu problema, analisando e investigando profundamente.
> E *(mordido pelas pulgas)* – Ai, pobre de mim!
> S – Permaneça quieto e, se tiver alguma dificuldade com algum pensamento, deixe-o e continue e, depois, volte e domine-o. [...]
> S – Não concentre o pensamento sempre em si mesmo, mas, pelo contrário, solte sua mente para o ar como um escaravelho com um fio amarrado na pata. (Scaramella, 1972, p. 49-50)

Segundo Dracoulides, ainda que o dramaturgo grego não apresente "todo o sistema da psicomaiêutica socrática", é admirável a precisão de Aristófanes quanto à formulação dos detalhes oferecidos – incluindo a presença do divã para o paciente – como também "a coincidência de pontos essenciais da técnica psicanalítica com o sistema de Sócrates que Freud, muito provavelmente, ignorava". Considerando ser essa passagem de *As nuvens* o único texto original que se refere à psicomaiêutica de Sócrates, Dracoulides opina que ele tem "o valor de um documento para a pré-história da psicanálise" (Dracoulides, 1967, p. 105).

Já na segunda comédia, *As vespas*, o psicanalista grego apresenta o que considerava ter sido, historicamente, "o primeiro psicodrama terapêutico", inventado por Aristófanes no ano 422 a.C. Segundo Dracoulides, como o protagonista Filoclêon tem "a mania de julgar e condenar, indo à corte ao amanhecer e regressando apenas ao entardecer", seu filho Bdeliclêon decide simular uma corte no pátio da casa, com o objetivo de que "ele seja curado da neurose judicial que o persegue".

Nesse tribunal psicodramático, comenta o articulista, os dois criados assumem o papel de procurador-geral e oficial de justiça, respectivamente. A primeira causa envolve "dois cachorros lutando por um pedaço de queijo" (p. 107-108).

> Bdeliclêon – Oh, poderoso senhor Agieo, meu vizinho, guardião do meu átrio!
> Aceita, senhor, este rito novo, que para meu pai idealizamos.
> Põe fim a seu temperamento excessivamente duro, de azinheira,
> e pinga um pouco de mel em seu coraçãozinho iracundo, como se faz com o vinho cozido.

> Que a partir de agora seja compassivo com os homens,
> mais com os acusados que com os acusadores,
> e que chore diante dos que lhe imploram
> e acabe com esse mau caráter
> e de sua ira
> arranque as urtigas. [...]
>
> [Ao fim da cena, depois de se enganar em favor do acusado, declara o protagonista:]
> Filoclêon – Como poderei aceitar isso de mim mesmo:
> ter absolvido um acusado? O que será de mim agora?
> Oh, deuses muito venerados, desculpem-me.
> Contra meu temperamento agi assim.
> Bdeliclêon – Não te preocupes com nada. Eu, pai,
> te darei de comer estupendamente, te levarei para todo lugar comigo,
> aos jantares, aos banquetes, aos espetáculos,
> para que vivas agradavelmente o resto de tua vida,
> e Hipérbolo não se burlará de ti com teus enganos.
> Vamos entrar.
> Filoclêon – Está bem, se te parece. (Aristófanes, 2011, p. 128)

Depois desse primeiro "psicodrama", que Dracoulides classifica como o do "compromisso compensatório", graças às promessas finais feitas pelo filho a seu pai, o psicanalista grego identifica um segundo, "mais na linha da liberação terapêutica" (Dracoulides, 1967, p. 109). Nesse caso, o que domina a cena é a educação de Filoclêon por seu filho, na qual "ele desempenha sucessivamente o papel de vários convidados numa festa, na qual tudo é imaginário e ao mesmo tempo atualizado" (p. 109). Um fragmento do texto pode ilustrar parte da cena:

> Bdeliclêon – Basta. Agora reclina-te aqui e aprende a estar num banquete, em boa companhia.
> Filoclêon – Como me reclino? Apressa-te a explicar. [...]
> Bdeliclêon – Estica os joelhos, à maneira dos atletas,
> estende-te com flexibilidade sobre as colchas. [...] *(Bdeliclêon simula dar ordens aos servos).*

A água para as mãos, tragam às mesas:
vamos jantar, estamos lavados. Já procedemos às libações. *(Bdeliclêon finge realizar as libações.)*
Filoclêon – Pelos deuses! É um sonho este banquete? [...]
Bdeliclêon – Não, se estás entre os excelentes,
ou te desculpam ante o que foi prejudicado,
ou tu mesmo contas-lhes um conto divertido,
algo engraçado de Esopo, ou até uma anedota sibarítica,
daquelas que aprendeste no banquete.
E em torno do riso gira o assunto, de modo que ele vá te deixando livre.
(Aristófanes, 2011, p. 163-164)

Para Dracoulides, o resultado psicoterapêutico em *As vespas* pode ser constatado quando, "imediatamente depois dos dois psicodramas, vemos seu efeito catártico no protagonista Filoclêon, que entra em cena com um olhar totalmente novo" (Dracoulides, 1967, p. 110). Além disso, acrescenta o articulista, por meio das duas peças Aristófanes realiza uma "tarefa autoliberadora", considerando que *As vespas*, apresentada logo depois de *As nuvens*, é "uma consequência das reações exteriores e interiores" que seguiram a primeira.

Dracoulides explica que, depois de ter ridicularizado Sócrates e empurrado sua sátira "até a calúnia, algo pelo qual foi publicamente desaprovado", Aristófanes realiza sua "autopsicoterapia", fazendo com que toda peça seja "catártica de si mesmo". Como conclusão, comenta Dracoulides, é também devido ao efeito catártico da segunda peça sobre Aristófanes que "as quatro comédias que se seguiram imediatamente a *As Vespas* são tão diferentes, livres de ira e de espírito agressivo e cheias de alegria e afetividade" (p. 111-112).

A propósito da contribuição do dramaturgo grego à história do psicodrama, Moreno publica em 1971 o artigo "Comments on Goethe and psychodrama" [Comentários sobre Goethe e o psicodrama], no qual reconhece que "houve muitos outros dramaturgos e novelistas, desde Aristófanes até Ibsen e Strindberg, que utilizaram técnicas psicodramáticas em suas obras" (Moreno, 1971, p. 16).

Moreno não chega a mencionar Jean Racine (1639-1699), mas Dracoulides também havia informado em seu artigo que, "vinte séculos mais tarde", e a fim de "satirizar os magistrados a propósito de um processo que tinha perdido", o dramaturgo francês retomou o tema de *As vespas* em sua peça *Les plaideurs* [Os litigantes], "adaptada aos costumes atuais e mesclada a uma farsa de amor" (Dracoulides, 1967, p. 108).

Trata-se da única comédia escrita por Racine, apresentada em 1668 e publicada no ano seguinte. Nessa edição, o autor francês afirma: "Finalmente traduzo Aristófanes, e há que se recordar que ele estava lidando com espectadores bastante difíceis", ou seja, pondera, com um público "que não deixava de discernir o verdadeiro por meio do ridículo". Além de considerar que "Aristófanes tinha razão ao empurrar as coisas para além do verossímil", Racine opina que, "de qualquer forma, posso dizer que nosso século não tem estado de pior humor do que o dele" (Racine, 1669, p. III-IV).

Em *Les plaideurs*, "uma sátira brilhante do sistema legal francês" segundo a *Britannica*, o juiz protagonista é Lelo, pai de Leandro, e o fragmento de diálogo a seguir ilustra bem a proposta de simulação feita pelo filho:

> Leandro – Eh! Muita calma, meu pai. É preciso encontrar uma solução. Se para vós a vida é um suplício se não podeis julgar; se vos sentis impulsionado a fazer justiça, não é necessário, para isso, sair de casa. Exercei seu talento e julgai entre nós.
> Lelo – Não ridicularizemos a magistratura, pois não? Não desejo, de modo algum, ser um juiz de adorno.
> Leandro – Pelo contrário, sereis um juiz sem apelação, e como juiz civil e criminal, podereis ter todos os dias duas audiências. Tudo será, em vossa existência, matéria de sentença. Que um criado traga a vós um copo que não esteja limpo: o condenareis a uma multa, e se ele o quebra, ao chicote. [...]
> Lelo – Mas quero fazer as coisas com clareza. São necessários advogados de ambas as partes. Não temos sequer um.
> Leandro – Ah, bem! Teremos de fazê-los. Aqui estão vosso porteiro e vosso secretário. Creio que fareis deles excelentes advogados. São bastante ignorantes. (Racine, 1982, p. 185-186)

Para Charles Conrad Wright, professor de francês da Universidade de Harvard e autor da introdução e dos comentários à comédia *Les plaideurs* na edição estadunidense, o motivo que levou Racine a escrever a peça seria "pessoal". Wright comenta que, segundo o filho de Racine, o poeta dramaturgo teria sido "levado a fazer uma investida contra os muitos defeitos do processo legal em seu tempo, além de atacar violentamente os juízes e advogados, pela perda de uma demanda judicial" (Wright, 1906, p. IV). Se for verdade, seguindo o argumento de Dracoulides sobre a "autopsicoterapia" de Aristófanes, algo similar pode ser observado sobre os efeitos da comédia francesa em seu autor.

Quanto aos espectadores, o que comenta Flor Robles Villafranca, tradutora da peça para o castelhano, é que as duas primeiras apresentações em 1668 tiveram "tão pouco sucesso que os atores quase foram vaiados e não se arriscaram a fazê-la pela terceira vez". No entanto, apresentada na corte "um mês depois", "o Rei riu 'às gargalhadas' e todos o imitaram". Por fim, comenta Robles Villafranca, "o sucesso de *Os litigantes* não foi desmentido depois, e apenas na Comédia Francesa, desde 1680 até nossos dias [1982], foi apresentada umas mil e quinhentas vezes" (Racine, 1982, p. 143-144). Ainda que não haja outras evidências quanto a resultados terapêuticos, os números apontados pela tradutora não deixam de ser reveladores.

A PROPOSTA DE REIL: "UM TEATRO EM CADA MANICÔMIO"

Referindo-se a Johann Christian Reil – o homem que segundo a *British Jornal of Psychiatry* [Revista Britânica de Psiquiatria] cunhou o termo "psiquiatria" em 1808 (Marneros, 2008) –, o próprio Moreno acrescenta um dado fundamental sobre outro antecedente histórico do psicodrama:

> Foi Reil que, no fim do século XVIII, sugeriu que os hospitais mentais tivessem um teatro especial no qual os funcionários desempenhariam os papéis de "juízes, fiscais, anjos vindos do céu, mortos saindo das tumbas, os quais, segundo as necessidades de vários pacientes, atuariam para produzir a ilusão da máxima verossimilhança", (Moreno, 1974, p. 4)

Efetivamente, em seu livro *Rhapsodieen über die Anwendung der psychischen Curmethode auf Geisteszerrüttungen* [Rapsódias sobre o uso do método de tratamento psicológico em transtornos da mente], publicado em

1803, o médico alemão analisa "objetos apresentados à intuição do sentido exterior, particularmente do olho, do ouvido e do tato", e afirma:

> Concluo este capítulo com objetos destinados ao sentido da visão, que é o mais próximo da alma e age mais intensamente sobre a excitação de suas faculdades. As impressões exercidas sobre esse sentido agem estranhamente sobre o sentimento, mas com predileção sobre a faculdade de representação, e por esta sobre a imaginação despertam o estoque de ideias e se transmitem por esse caminho à faculdade sensitiva e à faculdade de desejar. Aqui, um grande campo de trabalho ainda está aberto à doutrina dos métodos terapêuticos psíquicos. Mas os objetos destinados a esse sentido são tão numerosos e sua utilização tão dependente da totalidade dos diversos estados do paciente que não posso falar de seus detalhes. Observo apenas que, de maneira geral, cada manicômio poderia ter, para aplicá-los solenemente e associá-los de forma correspondente, um teatro especialmente organizado com esse objetivo, perfeitamente utilizável, dotado de todo o equipamento necessário, máscaras, maquinaria e cenários. Os trabalhadores da casa deveriam estar suficientemente treinados para poder desempenhar cada papel, o de juiz, o de verdugo, o de médico, o de anjo vindo do céu e o dos mortos saindo de suas tumbas, segundo as necessidades particulares do paciente, até o mais alto grau de ilusão. Esse teatro poderia ser formado de cárceres e covas de leões, lugares de torturas e salas de cirurgia. Ali Dom Quixotes se tornariam cavaleiros, mulheres que se acreditam grávidas poderiam ter seus bebês, loucos seriam trepanados, pecadores arrependidos seriam absolvidos solenemente de seus crimes. Enfim, o médico poderia fazer desse teatro e de seus dispositivos o mais variado uso, segundo os casos individuais, excitar fortemente a imaginação segundo a finalidade de cada caso, despertar o discernimento, provocar paixões opostas, excitar o medo, o assombro, a angústia, a tranquilidade etc. e opor-se à ideia fixa do delírio. (Reil, 2007, p. 101-102)

A professora austríaca do departamento de teatro, cinema e ciências da informação da Universidade de Viena, Brigitte Marschall, autora de uma tese de doutorado sobre Moreno, informa em seu livro *"Ich bin der Mythe": von der Stegreifbühne zum Psychodrama Jakob Levy Morenos* ["Eu sou o mito": do teatro da improvisação ao psicodrama de Jacob Levy Moreno] que Reil procurava "curar doentes psíquicos por meio de estímulos ópticos" e que em 1792 tinha apresentado uma tese sobre a melancolia.

Marschall comenta que Reil propõe "a encenação e a ilusão deliberada do paciente", ocupando-se de suas fantasias e delírios. Cita também Reil, em sua afirmação de que "a ideia fixa só se extingue sem danos quando nos familiarizamos com ela, a fazemos passar à frente ao menos na lembrança", opinando que, "com essa ideia, Reil se aproxima muito das de Moreno" (Marschall, 1988, p. 56). Seria melhor o contrário, mas, de qualquer forma, em sua análise comparativa a professora identifica, na descrição feita por Reil do processo de cura de um melancólico, por exemplo, uma semelhança com a técnica de egos auxiliares de Moreno. Com efeito, Reil descreve com detalhes o caso em sua *Rhapsodieen*:

> Um melancólico imóvel como uma coluna, que não falava e não notava nada ao seu redor, se curou da seguinte maneira. No mesmo lugar estava um homem que tinha o dom especial de imitar tudo. Ele se vestiu como o doente e foi encontrar-se com ele em seu quarto. Sentou-se de frente para o paciente, adotando totalmente seu aspecto e sua posição. No início este parecia não se dar conta de seu colega, mas por fim seus olhos estavam fixos nele. Este último fez o mesmo, e imediatamente imitou cada gesto, movimento e mudança do louco, até que este se entusiasma, salta de sua cadeira, começa a falar e fica curado. (Reil, 2007, p. 169)

Marschall não o explicita, mas a descrição corresponde a uma técnica que Moreno nomeará posteriormente de "espelho". Outro ponto identificado por Marschall como coincidente entre os dois se relaciona ao que Reil recomenda durante uma segunda etapa do tratamento:

> Essas estimulações intensas da sensibilidade, dos sentidos e da imaginação, e outras mais, obrigarão o paciente a ficar atento. [...] Dado o primeiro passo, fazemos um segundo. Escolhemos outros estímulos que sempre devem ser suficientemente intensos para não deixar que o paciente caia em sua falta de discernimento e para *obrigá-lo à atividade própria*. Ele não deve mais ser apenas um espectador passivo, mas deve tornar-se um *sujeito ativo*. Assim despertamos não só o discernimento

exterior, mas também o discernimento interior e a consciência de si mesmo. (Reil, 2007, p. 115, itálicos no original)

Marschall considera que, "por mais que se encontrem algumas ideias que mais tarde foram adotadas na psicoterapia, em particular no psicodrama, a terapia de Reil continua sendo antiquada". Segundo ela, de seus escritos se deduz claramente que "não realizou nenhuma pesquisa clínica nesse âmbito", dependendo de observações alheias, "que expunha de modo muitas vezes assustador, sob o influxo do Romantismo". No entanto, reconhece que Reil foi um dos primeiros a sugerir "ocupar-se corporal e espiritualmente dos doentes" (Marschall, 1988, p. 56-57).

O MÉDICO PINEL FAZENDO TEATRO, E O CASO DO "CONDENADO À GUILHOTINA"

Assim como Moreno, o próprio Reil menciona em seu livro *Rhapsodieen* o médico francês Philippe Pinel. No entanto, ao contrário de Moreno, que não apresenta qualquer comentário sobre esse pioneiro do tratamento das doenças mentais, Reil associa diretamente o nome de Pinel a experiências do tipo teatral. Segundo ele, Pinel fala, por exemplo, da "festa do santo sudário em Besançon", à qual "trouxeram muitos loucos que diziam estar possuídos". Reil comenta que "uma multidão de espectadores se reuniu num palco alto, que tinha a forma de um anfiteatro", no qual "os supostos possuídos eram custodiados por soldados e faziam movimentos furiosos" (Reil, 2007, p. 102).

Na primeira edição de seu *Traité médico-philosophique sur l'alienation mentale ou la manie* [Tratado médico-filosófico sobre a alienação mental ou a mania], publicado em 1801, Pinel confirma a cena de Besançon. O que mais lhe chama a atenção, no entanto, é o caso de um trabalhador que, "durante uma das épocas mais efervescentes da revolução, deixa um dia escapar em público algumas reflexões sobre o julgamento e a condenação de Luís XVI" (Pinel, 1801, p. 233). Conta Pinel que, recebendo ameaças cujo perigo o homem passa a exagerar, e acreditando-se já condenado à guilhotina, ele perde o sono, o apetite e o interesse por seu trabalho como alfaiate, até que é internado no hospital-manicômio de Bicêtre, em Paris.

Depois de um período de oito meses, nos quais parece recuperar-se trabalhando na própria instituição – a partir da convicção de Pinel de que "um trabalho assíduo e o exercício de sua profissão" seriam o mais apropriado "para mudar a direção viciada de suas ideias" (p. 234) –, o trabalhador volta a sentir os sintomas de "sua melancolia" (p. 235). Narra Pinel:

> Naquele momento eu já estava deixando o Bicêtre, mas sem desistir da esperança de ser útil àquele infeliz. Foi este o expediente que coloquei em prática durante o ano: o supervisor do hospital de doentes mentais de Bicêtre foi avisado de que, a certo momento, uma suposta comissão da Assembleia Legislativa visitaria Bicêtre para obter informações sobre o cidadão ..., e para absolvê-lo se ele fosse considerado inocente. Eu então combino com três jovens médicos, e entrego o papel principal àquele que tem o ar mais sério e imponente. Os tais comissários, de capa preta e com todo o aparato da autoridade, se postam em volta de uma mesa e fazem vir o melancólico. Eles o questionam sobre sua profissão, sua conduta anterior, os jornais favoritos que lia, seu patriotismo. O acusado conta tudo o que disse, tudo o que fez, e provoca seu julgamento final por não acreditar que é culpado. Para sacudir então mais fortemente a sua imaginação, o presidente da pequena comissão pronuncia em voz alta a seguinte sentença: "Nós, comissários, em virtude de todo o poder a nós concedido pela Assembleia Nacional, seguindo as formas habituais, procedemos ao exame jurídico do cidadão..., e reconhecemos que nele encontramos apenas os sentimentos do mais puro patriotismo; ele fica absolvido de qualquer acusação feita contra si, e ordenamos que recupere sua liberdade total e volte para sua família; no entanto, por ter recusado obstinadamente qualquer tipo de trabalho durante um ano, julgamos aconselhável que fique mais seis meses detido em Bicêtre, para exercer sua profissão em favor dos enfermos, e responsabilizamos o supervisor do hospital pela presente sentença." Retiram-se em silêncio e tudo indica que a impressão produzida no espírito do paciente foi das mais profundas. (Pinel, 1801, p. 235-237)

Pinel comenta que, infelizmente, "a inação logo reproduziu os traços de seu antigo delírio", e houve também "a imprudência de quem passou a tratar como mera brincadeira a sentença definitiva que lhe tinha sido atribuída em nome da Assembleia Nacional". A conclusão final do médico foi a de que, "desde então, comecei a considerar sua condição de incurável"

(p. 237). De fato, na segunda edição de seu *Tratado médico-filosófico*, publicada em 1809, a cena do julgamento do paciente já não aparece. A única referência feita ali por Pinel, após apresentar parte do caso, é sobre "a vantagem de uma emoção viva e profunda para produzir uma mudança sólida e duradoura" (Pinel, 1809, p. 348-350).

Apesar desse resultado negativo, com essa simulação Pinel se torna um dos precursores do psicodrama que, cem anos depois, Moreno começará a desenvolver a partir de suas experiências em Bucareste e em Viena. Aliás, essa frequência de cenas precursoras do psicodrama na esfera judicial nos remete, curiosamente, a uma observação feita por Marineau em sua biografia. Segundo ele, além do teatro para crianças, "outro passatempo favorito de Moreno durante os anos em que estudou medicina era ir aos tribunais para assistir a julgamentos" (Marineau, 1995, p. 68).

O biógrafo comenta que, ao voltar para casa, Moreno reconstruía o julgamento testemunhado e, "com base nisso, previa o resultado final; dava as razões pelas quais o advogado falharia, ou porque uma determinada testemunha tinha sido convincente ou não, e assim por diante". Com isso, conclui Marineau, "as pessoas esperavam pelos resultados e se divertiam com os altos percentuais de acertos alcançados por Moreno", acrescentando que, nesse caso, já havia vislumbres de "duas técnicas do psicodrama: a *técnica do duplo* e a *inversão de papéis*" (p. 68).

A HISTÓRIA DE *NINA*, A *LILA* DE GOETHE E O *HAMLET* DE MORENO

O artigo "From *Nina* to *Nina*: psychodrama, absorption and sentiment in the 1780s" [De *Nina* a *Nina*: psicodrama, absorção e o sentimento na década de 1780], assinado por Stefano Castelvecchi, professor de música da Universidade de Cambridge, Inglaterra, traz novas luzes sobre as relações entre o teatro e a psiquiatria nos tempos de Pinel. Trata-se de *Nina, ou la Folle par amour* [Nina, ou a louca de amor], ópera cômica de Benoît-Joseph Marsollier e Nicolas Dalayrac, encenada "com muito êxito" em Paris a partir de 1786 "até meados do século XIX", e com uma versão em dois atos que estreou em 1789 ainda com "mais êxito", na Itália. Conta o professor:

> Nina e Germeuil se amam, e estão comprometidos ao matrimônio com o consentimento do pai de Nina, o Conde. No entanto, quando a mão de

> Nina é pedida por um pretendente rico, o conde favorece a este último, rompendo assim o pacto com Germeuil. Um duelo entre os dois pretendentes sobrevém; quando Nina vê seu amado deitado em seu próprio sangue, e seu pai lhe pede que aceite como esposo o assassino de Germeuil, ela perde a razão. (Castelvecchi, 1996, p. 92)

De acordo com Castelvecchi, o texto de Nina "ressoa de muitas maneiras com as teorias da mente e as práticas de 'cura moral' da época". O final da ópera "pode ser lido como uma encenação de uma técnica terapêutica específica", aparentemente emergente na prática médica da época. Castelvecchi explica que no século XVIII ganhou espaço a ideia de que a loucura muitas vezes poderia ter "uma etiologia 'moral' (isto é, mental)", e que "o louco deveria receber um tratamento 'moral' (pelo intelecto ou pela emoção, não por meios físicos como purgas, sangrias, duchas e drogas)". A esse tratamento, acrescenta Castelvecchi, foi então concedido status científico graças ao trabalho de Pinel (p. 94).

Castelvecchi relata que o final da peça – em que Nina recupera a saúde mental – corresponde a uma das soluções terapêuticas do médico francês: "impactar a imaginação da paciente por meio da montagem de uma cena teatral". Ou seja, comenta,

> Os curadores da mente vinham fazendo uso de expedientes e habilidades genericamente "teatrais", mas a prática que Pinel descreve é mais específica, assemelhando-se a uma técnica terapêutica que, em nossos tempos [1996], é definida como "psicodrama" – uma cena que dramatiza o conteúdo problemático ou traumático da mente do paciente. O final de *Nina* funciona de maneira muito semelhante. Germeuil e os outros personagens recriam o passado de Nina e dão um toque positivo a seu conteúdo traumático: Nina se encontra entre Germeuil, que está vivo, e seu pai, que aprova seu casamento. Só agora Nina se sente bem e reconhece o pai e o amante. O processo, como no "julgamento" de Pinel [do alfaiate, paciente], envolve um nível de encenação: no "psicodrama" final de Nina, os personagens agem como se os eventos traumáticos – a recusa do pai, a suposta morte de Germeuil – nunca tivessem acontecido. (p. 96)

Parece não haver qualquer evidência de que Moreno, em algum momento, tenha tomado conhecimento da peça *Nina.* O que mereceu sua atenção no campo literário foi a personagem feminina de outra peça ou, mais precisamente, uma das quatro zarzuelas de Goethe: *Lila*, escrita entre 1777 e 1788 e publicada em 1790. O tradutor de seu monumental *Obras completas* para o castelhano, Rafael Cansinos Assens, apresenta a peça evocando "aquele interessante episódio do imortal *Dom Quixote* em que o esperto solteirão Sansón Carrasco tenta devolver o demente fidalgo à sanidade seguindo a corrente de seu delírio cavaleiresco" (Assens, 1951, p. 915). Ele comenta que com isso Carrasco "consegue o que não conseguiram o raciocínio sábio do barbeiro e o do padre", apresentando outros detalhes pertinentes em sua comparação:

> O astuto solteirão aceita um papel no drama imaginário do nobre cavaleiro da Triste Figura; finge que ele também é um cavaleiro da Branca Lua, desafia-o em nome de sua dama, segundo o costume daqueles heróis novelescos, derrota-o sem dificuldade e impõe a ele como preço de seu triunfo a promessa de renunciar a suas aventuras de agora em diante. E o pobre e bom fidalgo, senil e decrépito, facilmente derrotado pela vigorosa juventude do garrido solteirão, volta à sua aldeia preso numa jaula, constrangido e confuso, vítima de uma melancolia que já é a sensatez, embora se torne mais lamentável para o espectador do que seu delírio anterior. (p. 915)

Para Assens, esse episódio da obra de Miguel de Cervantes "é uma dessas antecipações que surpreendem no livro vetusto, o que hoje chamaríamos de cura psíquica do transtornado fidalgo". O tradutor e comentarista afirma que "Goethe nos faz assistir a uma operação semelhante em sua zarzuela", relatando que a protagonista Lila, "uma mulher perdidamente apaixonada pelo marido", cai em estado de "apatia melancólica" ao receber a notícia, "mais tarde desmentida", da morte inesperada de seu esposo num acidente equestre. Pela casa desfilou inutilmente "toda a caterva de médicos, mediquinhos e medicões, curandeiros e charlatões", diz Assens, até que se apresenta ali "um psiquiatra astuto, o doutor Verazio". O que se segue "nesse processo de alta terapia psíquica", acrescenta o tradutor, é um espetáculo "em que intervêm fadas, gênios bons e maus, ogros, mágicos e toda a trupe da opereta cômica", concluindo que "canto, dança e mímica, todos os recursos da arte, são colocados a contribuir para o objetivo paradoxal de curar a loucura pela própria loucura" (p. 916). De fato, as seguintes falas dos protagonistas ilustram bem a evolução do processo descrito por Goethe ao longo dos quatro atos da zarzuela:

> Frederico [filho do conde] – Isso é justamente o que há de mais perigoso na doença dela. [...] Desde que essas fantasias transtornaram seu juízo, ela olha para todos os seus amigos e parentes, até mesmo para o próprio marido, como se fossem meras sombras chinesas, figuras espectrais. E como ela vai se convencer da realidade, quando o real é suspeito de ser fantástico? [...]
> Conde Altenstein – Ouça, doutor! Lá embaixo me contaram as coisas mais estranhas. O que você está dizendo? Lila garantiu à sua criada, a única em quem ela confia no meio do seu delírio, exigindo o maior sigilo, que sabe muito bem onde está; que ela teve uma revelação de que seu marido não está morto, mas é cativo de espíritos malignos, que também querem privá-la de sua liberdade, então ela tem que se esconder para que eles não a conheçam, até que chegue a ocasião e os meios de libertar o barão.
> Barão – Pior ainda! Também contou a Nette uma longa história de bruxas, fadas, ogros e demônios e tudo o que ela ainda tem que suportar até que eu possa me recuperar. [...]
> Verazio – Isso confirma uma ideia que já fervilhava na minha cabeça há muito tempo. Você gostaria de ouvir uma proposta? [...] Não se trata de dietas ou poções. Mas se pudéssemos curar a fantasia com a fantasia, teríamos dado um golpe de mestre. [...] Vamos representar ao vivo diante da doente aquela história forjada por sua fantasia. Façam papéis de fadas, ogros e demônios! Tentarei abordá-la como um homem sábio e indagar a relação detalhada do que acontece com ela. [...] No final, fantasia e realidade vão coincidir. Quando ela tomar nos braços o marido que ela mesma terá reconquistado, ela necessariamente terá de acreditar que o tem novamente ali. [...] [Após as apresentações:]
> Lila – [...] Tudo me parece tão estranho, até eu mesma! [...] Para que servem esses trajes em plena luz do dia? Se não me engano, você não é tão velho quanto parece. Essas barbas lhe pendem do queixo. (Goethe, 1951, p. 920-936)

A primeira análise sobre essa obra de Goethe e suas relações com o psicodrama é feita pelo psicólogo Gottfried Diener, que em 1971 publica seu já citado livro *Goethes "Lila"*, cujos extratos vão aparecer, dois anos depois, numa edição revisada e aumentada de *The theatre of spontaneity*. Em seu artigo "Relação do processo delirante em *Lila* de Goethe, com a psicologia analítica e o psicodrama", o pesquisador alemão afirma que "a exposição e o esclarecimento psicanalíticos do mundo imagético que emerge do inconsciente por meio da associação e da interpretação de palavras, não são eficazes nos estados profundos de depressão ou esquizofrenia", argumentando daí "o fato de o paciente que sofre de problemas emocionais e psicóticos não conseguir manter um diálogo efetivo" durante o tratamento (Diener, 2012, p. 167).

Segundo Diener, "como conhecedor e produtor, como poeta dramático e diretor, consciente de todas as condições do psiquismo normal", Goethe tem consciência também dos efeitos terapêuticos do teatro a partir dos quais, afirma, "150 anos mais tarde o psiquiatra Moreno desenvolveu seu método de tratamento" (p. 139). O psicólogo alemão elenca quatro pontos de coincidência entre *Lila* e as normas do psicodrama de Moreno, explicando que "esses quatro pontos de vista formulados por Moreno em seu *Psychodramatic Treatment of Psychoses* [Tratamento psicodramático das psicoses] também podem ser aplicados à perturbação mental de Lila" (p. 171):

> 1. A insanidade é uma perda da realidade e não pode ser considerada curada senão quando o psiquismo retorna à realidade concreta do mundo.
> 2. A fantasia e as imagens alucinatórias do paciente não devem ser consideradas sem valor nem suprimidas [...];
> 3. O conteúdo da fantasia enferma não pode ser reprimido enquanto está acontecendo, devendo, ao contrário, ser ativado; [...]
> 4. Dessa forma, torna-se possível reverter o processo de realização simbólica. Os egos-auxiliares que participam do psicodrama voltam a ser, aos poucos, representantes da realidade externa, deixando de ser as figuras da realidade interna, até que o paciente esteja aberto completamente para a vida, de modo que consiga, com o coração e os seus sentimentos, dar conta de seu ego e de seu ambiente. (p. 171)

Em seus comentários, que se seguem ao artigo do professor alemão, Moreno reconhece que Diener "de fato prestou um grande serviço à filosofia, à história e à ciência do psicodrama" (Moreno, 2012, p. 181), afirmando que "não sabia do interesse de Goethe por psicodrama" e que, na realidade, o próprio termo psicodrama era desconhecido na época de Goethe, "tendo sido introduzido por mim nos Estados Unidos" (p. 182). Moreno relata que Diener também analisa os dramaturgos anteriores e contemporâneos de Goethe, "observando o caso do teatro dentro do teatro na obra *Hamlet*, de Shakespeare". No entanto, observa que "é apenas um breve *intermezzo* em *Hamlet*". Moreno também comenta que "o escritor espanhol Cervantes, em sua novela *Dom Quixote*, mostra como Quixote foi tratado e curado da doença mental por um método psicodramático", mas que também aí "o interlúdio psicodramático foi novamente apenas um capítulo na grande novela" (p. 183-184).

Tentando esclarecer as diferenças entre uma obra escrita e um psicodrama, Moreno comenta que "*Lila* é uma ficção, que surgiu da mente de Goethe, o dramaturgo", enquanto, "no psicodrama, as pessoas que atuam são reais. Não são atores". Em outras palavras, explica, "o protagonista apresenta suas ansiedades reais, seus medos reais, suas esperanças reais. Ele não tem de preparar o drama, que está nele, sempre pronto a ser trazido para a vida. Ele está no aqui e agora" (p. 182). Além disso, Moreno reconhece que "nenhum outro dramaturgo construiu *uma peça inteira*, ou seja, *cada cena, cada palavra, toda a estrutura de uma peça*, para mostrar o drama como cura". Afirmando que foi exatamente isso que Goethe fez, Moreno concluiu que no caso de *Lila* "não se trata, é claro, de um psicodrama 'vivo', conforme nossa acepção moderna, mas pode ser chamado de psicodrama. O que está numa palavra, uma vez que concordamos, senão seu significado?" (p. 183).

No que diz respeito a *Hamlet*, é importante notar que, ao final do primeiro volume de *Psicodrama*, Moreno apresenta um breve texto seu, "Shakespeare and the psychodrama" [Shakespeare e o psicodrama] (Moreno, 1975, p. 482-486), em que imagina uma série de cenas geradas a partir do encontro entre o dramaturgo inglês e o príncipe dinamarquês Hamlet. Após a participação de vários egos auxiliares nos papéis de rei e rainha, pais do príncipe, seu padrasto e a jovem Ofélia, no que Moreno chama de "psicodrama de Hamlet", o psiquiatra comenta que, "quando o louco se torna real, também Shakespeare tem de retirar sua máscara do dramaturgo". Com isso, diz Moreno, "a sua personalidade privada vem ao primeiro plano, a de um homem com suas próprias angústias e ânsias, deficiências e ambições". Além disso, acrescenta:

> À primeira vista, pareceria ser esse um novo ponto de partida no drama, uma espécie de síntese entre o teatro e o manicômio, entre o drama e a psiquiatria, uma espécie de psiquiatria shakespeariana. Mas, numa consideração mais profunda, verificamos que não se trata de um novo modo de enfocar o drama; é, outrossim, um retorno ao seu *status nascendi*, o drama que remonta à sua fonte primária. Muito antes do dramaturgo poder escrever um *Hamlet* e um elenco de atores entreter com ele uma multidão de espectadores, existiram milhares de Hamlets, Otelos e Macbeths de carne e osso. Da própria vida, eles entraram nos livros de História. E destes o dramaturgo os retirou. Mas o psicodramaturgo encontra-se *antes* deles passarem aos livros. Defronta-se com o verdadeiro Hamlet e o verdadeiro Shakespeare, aqui e agora, no palco do psicodrama. (p. 486)

Ainda que do ponto de vista literário se trate de um conto, ou seja, de uma peça de ficção, o texto é uma boa ilustração de como Moreno concebe as relações entre o teatro clássico e seu método, sublinhando semelhanças e diferenças entre o psicodrama moderno e as criações anteriores do teatro terapêutico.

O DUELO DE DOM QUIXOTE: CERVANTES, "UM GRANDE PSICODRAMATISTA"

Quanto às relações entre a obra-prima do escritor espanhol e o psicodrama, o tema volta a público 16 anos depois dos comentários do tradutor de Goethe. Dessa vez, é o reitor da Universidade de Barcelona que, em 29 de agosto de 1966, em seu discurso de boas-vindas aos participantes do II Congresso Internacional de Psicodrama, chama a atenção para "um importante evento que ocorreu nesta mesma cidade que hoje se honra com sua visita". O médico e professor Francisco García-Valdecasas evoca o mesmo episódio mencionado por Assens, ou seja, o duelo entre Dom Quixote e "o cavaleiro da Branca Lua", "aproximadamente trezentos e cinquenta anos atrás" (García-Valdecasas, 1967, p. 9).

Além de apontar a coincidência de sobrenome entre o personagem Antonio Moreno, o "melhor amigo" de Quixote – que também participara do processo –, e o próprio Moreno, o reitor lança a pergunta aos presentes, referindo-se ao episódio narrado: "podemos chamar de psicodrama?". E, para demonstrar que "a artimanha do solteirão" Sansón Carrasco tinha obtido resultados, García-Valdecasas comenta que "no momento em que entrava em seu povoado" Quixote interrompe "o longo discurso" iniciado por Sancho Pança "à imitação de seu amo" respondendo: "Deixa-te dessas sandices e *vamos com o pé direito* entrar em nosso lugar" (p. 12-13, itálico no original).

Reagindo ao tema proposto, Moreno oferece uma série de comentários importantes para a compreensão do psicodrama como método terapêutico. Começa afirmando que "Cervantes não só era um grande poeta, como também era dotado de um talento intuitivo para o método dramático da cura", e que foi seu privilégio, "o que com frequência se dá aos poetas, descobrir uma ideia trezentos e cinquenta anos antes". Além disso, comenta, o fato de ele próprio ter sido antecipado por Cervantes "dá à nossa ciência um apoio mais significativo, inesperado", ou seja, "o apoio da validação poética" (Moreno, 1967, p. 15). Por outro lado, analisa:

> O episódio psicodramático de Dom Quixote de la Mancha é o clímax de todo o romance. Aqui está um homem extraordinário que sofre de uma doença, chamada de "doença" pelos médicos medíocres da psique, mas os psicodramatistas frequentemente lhe dão um nome diferente e uma avaliação diferente. Eles chamam o mundo em que vive tal homem, que é dotado de um maior senso de sensibilidade diante da experiência transcendental, um mundo de sua própria criação, de "realidade suplementar". Para Cervantes, ele era às vezes o gênio desconcertante da excentricidade e um desafio para um mundo opaco, outras vezes apenas um homem doente, incapaz de se libertar de sua perseguição. (p. 15)

Depois de informar que a Espanha foi chamada de "o berço da psiquiatria", por ter sido em Valência que se fundou o primeiro hospital psiquiátrico do mundo, em 1406, "muitos anos antes de Pinel libertar os doentes mentais das correntes", Moreno observa que também coube a Cervantes, "um poeta espanhol, antecipar como a própria psique poderia ser libertada por meio do PD [psicodrama]" (p. 17).

Num segundo momento de sua exposição, Moreno explica que a ideia do psicodrama "como forma de terapia" teve três etapas de desenvolvimento. Na primeira, que chama de "fase existencial", "tem sido e é utilizada pelas pessoas ingenuamente, como parte da criatividade cotidiana, enfrascada em rituais ou ritos primitivos". Sobre isso, comenta que antropólogos encontraram nos Pirineus desenhos "retratando 'inversão de papéis entre o homem e a besta', estimados em mais de dez mil anos" (p. 17). Quanto à segunda, que denomina "etapa estético-poética", é quando o artista, poeta ou dramaturgo "desenvolve uma ideia psicodramática em seus trabalhos, para curar seus heróis da loucura, ou de outras desafortunadas tensões de inadaptação", como na história bíblica de "José e seus irmãos", de Shakespeare, "em sua 'peça dentro da peça' em Hamlet", ou de Cervantes "ao tratar a loucura de Dom Quixote" (p. 18).

Por fim, Moreno menciona a terceira fase, a da "elaboração científica de um sistema de psicoterapia centrado na ação, agora chamada de psicodrama", da qual tanto o psicodramatista existencial da primeira fase como o psicodramatista poético da segunda são precursores. No caso de Cervantes, ele admite que sua alegoria artística pode estar longe de uma ideia cientificamente madura, mas sustenta que "podemos aprender com o poeta, já que, nas asas de sua imaginação, ele pode voar em altitudes elevadas sem ser obstaculizado pela censura da mente científica" (p. 18).

Analisando em detalhes o procedimento usado por Cervantes, Moreno observa que "um gênio como Dom Quixote não poderia ser abordado de forma mediana":

> Como pôde ele desistir de suas belas alucinações, em troca de quê? Em busca de um remédio, Cervantes descobriu o método psicodramático sem saber. Ele percebeu que, para se comunicar com Dom Quixote, ele precisava ser retirado de si mesmo; isso tinha de ser alcançado no mesmo alto nível de imaginação, do mesmo mundo esplêndido e heroico em que Dom Quixote viveu. Ele percebeu que tinha de criar uma realidade imaginária que pudesse efetivamente se opor a Dom Quixote. [...] Tinha que ser "um encontro", um encontro com um herói tão grande como ele próprio, ou que o atraísse como tal, um cavaleiro de armas, igualmente desatinado ou mais, lutando por uma causa semelhante ou mesmo superior, inspirado por uma fase semelhante de rebe-

lião contra o mundo cotidiano, um homem cheio de loucuras e falando a mesma língua. (p. 18-19)

Em termos psicodramáticos, Moreno define a inspiração de Cervantes diante de Dom Quixote como a de "criar um homem que pudesse ser seu 'duplo'", envolvendo Sansón Carrasco no "fantástico esquema" de desafiar Dom Quixote para o duelo. "Os psicodramatistas chamam esse homem de ego auxiliar" (p. 19), comenta, acrescentando que, ao buscar alguém que pudesse "coalucinar" com Dom Quixote, Cervantes mostrou ser também um grande psicodramatista: "Um paciente confia frequentemente em outro paciente mais do que num médico" (p. 20).

Além disso, aproveitando a forma particular de ego auxiliar usada por Cervantes em Sansón Carrasco, Moreno afirma haver vários tipos de duplo no psicodrama, e que nesse caso se diferenciam dois: "o duplo amoroso, que estabelece a identidade com o protagonista, e o duplo contrário, que tenta estabelecer a identidade por meio da contrariedade e da hostilidade", entendendo a questão de Carrasco como do segundo tipo. Por outro lado, comenta, a ideia de "voltar para casa por um ano" é muito similar à do psicodramatista "que limita o tempo, é específico e deixa que o processo de liberação e a nova integração ocorram gradualmente". Muito frequentemente, explica Moreno, depois desse processo de "prova", o paciente "encontra um novo lugar na comunidade normal e não volta a suas velhas ideias e obsessões". No entanto, alerta que, em outras ocasiões, o paciente "se inclina à recaída e necessita então de intervenção repetida" (p. 21).

Tentando ser ainda mais específico, Moreno observa:

No período de desilusão e reconstrução, os pacientes psicodramáticos se movem para trás e para frente, incapazes de abandonar totalmente o velho mundo psicótico e de aceitar a nova realidade sem medo. Eles tentam encontrar um compromisso construtivo que seja parte integrante do processo de aprendizagem no curso da reabilitação. As sessões de psicodrama são realizadas ao longo desse período, em intervalos regulares.

De acordo com a teoria psicodramática, a doença psíquica não é apenas um mecanismo de fuga das limitações da realidade da vida, mas frequentemente um esforço para criar uma vida mais satisfatória. A motivação é para criar, não para fugir.

> No procedimento psicodramático, o período mais importante, portanto, é o período probatório. O tratamento não para com o choque da iluminação, a súbita percepção por parte do paciente de seu enredo psicótico, mas começa após gradualmente guiar o paciente para a nova vida e o novo ambiente em que viverá. Existem, então, três Dons Quixotes: o primeiro, antes de se tornar o Cavaleiro Errante; o segundo, o aventureiro Cavaleiro Errante; e o terceiro, o período de renovação (p. 22).

SIMPLÍCIO, O ANJO, O "REI DA ÍNDIA", ANA O E ATÉ O PRÓPRIO FREUD

Diga-se de passagem, 55 anos depois da primeira edição de *O engenhoso fidalgo Dom Quixote de la Mancha*, publicada em 1605, aparece *Der abenteuerliche Simplicissimus Teutsch* [O aventureiro Simplicíssimus], de Hans Jacob Christoffel von Grimmelshausen. Segundo a professora Lynne Tatlock, da Universidade de Washington em St. Louis, se trata sem dúvida da "mais importante obra literária alemã do século XVII" (Tatlock, 2008, p. v). Tatlock comenta que o fato de Simplício, o protagonista, fazer o papel do tonto ou do bobo da corte levou os estudiosos a incluir o romance "na tradição europeia da literatura sobre a loucura" (p. xv). O pároco – um dos personagens com quem fala Simplício sobre pessoas que perderam o juízo – conta que:

> Um outro ainda foi longe a ponto de acreditar que já havia morrido e estava vagando como um fantasma e, portanto, não estava disposto a tomar remédios ou comer, ou beber mais, até que finalmente um médico engenhoso contratou dois homens que fingiam ser fantasmas, mas que comiam e bebiam com avidez, colocou esses dois na companhia do enfermo e o convenceu de que hoje os fantasmas também estão acostumados a comer e beber, de modo que foi então restaurado ao seu estado anterior. (Grimmelshausen, 2008, p. 247)

O professor da Universidade do Tennessee John C. Osborne, tradutor de *Simplicissimus* para o inglês, comenta a propósito que as seis histórias de *exempla melancholicorum* [exemplos de melancólicos] mencionadas pelo personagem confirmam: "um tema favorito no século XVII era a aberração psicológica sob a forma de uma fixação avassaladora (a pessoa que sofria disso era chamada de melancólica)", acrescentando que exemplos similares abundam na literatura da época (Grimmelshausen, 2008, p. 364-365).

Já no século XVIII, na história do teatro terapêutico, aparece o nome do médico francês François Boissier de Sauvages. Considerado o fundador da nosologia, por seu volumoso tratado *Nosologie méthodique ou Distribution des maladies en classes, en genres et en espèces* [Nosologia metódica ou Distribuição das enfermidades em classes, gêneros e espécies], Sauvages dedica o sétimo de seus dez tomos às doenças mentais. Mesmo não dando muita atenção, na obra, ao uso do jogo de papéis nas terapias, o médico se mostra a favor dos então chamados "recursos morais" (Sauvages, 1772, p. 195) nos tratamentos, e em seus comentários sobre "melancolia religiosa" o médico de Montpellier conta:

> Um médico português utilizou o seguinte expediente para curar um paciente dessa doença fatal. Fez um de seus amigos se vestir de anjo, e este entrou em seu quarto com uma tocha na mão esquerda e uma espada desembainhada na direita e, ao acordá-lo, prometeu-lhe por parte de Deus perdão por todos os crimes que pudesse ter cometido, o que o tranquilizou e lhe restaurou a saúde. (Sauvages, 1772, p. 352)

Por outro lado, sempre em seu *Drama, psychotherapy and psychosis,* Casson cita outros exemplos históricos do uso do teatro para fins terapêuticos, mencionando que "de 1797 a 1811 [François de] Coulmier, no asilo de Charenton, França, estimulava os pacientes, incluindo [Donatien Alphonse François, o Marquês de] Sade, a fazer teatro" (Casson, 2004, p. 59). Também segundo Casson, a partir de 1813 foram construídos teatros nos hospitais italianos de Aversa, Nápoles e Palermo.

No entanto, o que mais chama a atenção de Casson é o trabalho do cirurgião britânico William Browne, que em 1837 publica *What asylums were, are and ought to be* [O que foram, são e deveriam ser os hospícios]. Segundo Casson, Browne tinha estudado com o médico francês Étienne Esquirol no hospital de Charenton, onde "pacientes tinham sido estimulados a criar teatro" (Casson, 2004, p. 59). Ao escrever seu livro, Browne não estava ainda convencido quanto à "introdução de representações dramáticas como meio de cura", levando em conta "a tentativa feita em Charenton sem êxito", e que "os habitantes desse país enquanto estão com saúde manifestam pouco interesse por esses espetáculos" (Browne, 1843, p. 219). No entanto, observa Casson, "logo os benefícios terapêuticos da participação no teatro se mostraram evidentes", graças a um paciente de Browne, Richard Chateris, "que permanecera enrolado por cinco anos num tapete, acreditando ser o Rei da Índia" (Casson, 2004, p. 60).

Depois de estimular Chateris a envolver-se com teatro em 1843 no hospital escocês Crichton, no ano seguinte Browne declara que "uma revolução total ocorreu na mente desse indivíduo". Citado por Casson, Browne acrescenta que seu paciente "se comprazia do entretenimento da noite estimulado a fundo e o passo seguinte foi sua inscrição entre os atores" (Browne, 1843, p. 258). Depois de obter "muitos triunfos na arte histriônica e pictórica", comenta Casson, "Chateris recebeu alta em 1846". Além disso, na mesma instituição, "onze pacientes participaram num grau ou outro do teatro, dos quais cinco se beneficiaram o suficiente para receberem alta", observa Casson, acrescentando que informes anuais do hospital dão fé dos benefícios terapêuticos do teatro. Casson cita o informe de 1844, por exemplo, segundo o qual "representações teatrais, como meio de cura e prazer, já não se limitam à Instituição Crichton", mas que "melodramas foram apresentados aos internos de hospícios nesse país" (Casson, 2004, p. 60).

Além de comentar que o médico e psicólogo francês Pierre Janet (1859--1947) já havia utilizado em 1891 "hipnose e teatro para recriar cenas traumáticas", Casson informa também que em 1895 o médico e fisiólogo austríaco Josef Breuer (1842-1925) escreve sobre "um 'psicodrama' espontâneo (antes de Moreno) durante o tratamento de Ana O", numa obra em coautoria com Freud (p. 61). Efetivamente, numa seção escrita pelo colega de Freud em *Studien über Hysterie* [Estudos sobre a histeria], Breuer conta que:

> Desse modo, toda a histeria chegou ao fim. A própria doente havia decidido firmemente terminar tudo para o aniversário de sua mudança para o campo. É por isso que, no início de junho, ela cultivou a "talking cure" com grande, emocionante energia. No último dia reproduziu, com o expediente de arrumar o quarto como era o do pai, a alucinação angustiada antes referida e que fora a raiz de toda a sua doença: aquela em que só conseguia pensar e rezar em inglês; logo em seguida falou em alemão e se viu livre dos incontáveis distúrbios a que fora exposta. (Breuer & Freud, 1895, p. 32; Freud, 1978a, p. 13)

O próprio Freud, por sua vez, tinha escrito *Psychopathische Personen auf der Bühne* [Personagens psicopáticos no palco], "em fins de 1905 ou início de 1906", segundo o psicanalista James Strachey, um dos tradutores de sua obra para o inglês, ou "em 1904", segundo Luis López-Ballesteros y de Torres, tradutor de suas *Obras completas* para o espanhol. Nesse artigo, que se manteve inédito em alemão durante quase 40 anos, e só veio a ser publicado pela revista *Psychoanalytic Quarterly* em 1942, Freud começa a partir dos gregos:

> Se o objetivo da dramatização consiste em provocar "terror e piedade", em produzir uma "purificação [expurgo] dos afetos", como se supõe desde Aristóteles, esse mesmo propósito pode ser descrito um pouco mais detalhadamente dizendo que se trata de abrir fontes de prazer ou gozo em nossa vida afetiva (como está na raiz do cômico, do chiste etc., que se abre no trabalho de nossa inteligência, o mesmo que tornara muitas dessas fontes inacessíveis). Para tanto, vale, sem dúvida, mencionar em primeira mão a liberação dos afetos do espectador. (Freud, 1978a, p. 79).

Cabe destacar que, na tradução feita por López-Ballesteros, trata-se de "teatro" em vez de "palco" e de "despertar a piedade e o temor, provocando assim uma 'catarse das emoções'" (Freud, 1981, p. 1272). De qualquer maneira, em seguida afirma Freud:

> Ser espectador participante do jogo dramático significa para o adulto o que a brincadeira é para a criança, que satisfaz desse modo a expectativa, que preside suas tentativas, de igualar-se ao adulto. O espectador vivencia pouco demais; se sente como "um mísero descarte a quem não pode acontecer nada"; há tempo afogou seu orgulho, que situava seu eu no centro da fábrica do universo; melhor dizendo, se viu obrigado a deslocá-lo: gostaria de sentir, trabalhar e criar tudo a seu arbítrio; em suma, ser um herói (Freud, 1978a, p. 79-80).

Também aí, López-Ballesteros oferece matizes diferentes em sua tradução. De um lado, "o espectador do drama é um indivíduo sedento de experiência; sente-se como esse 'Mísero, a quem nada importante pode acontecer'". De outro, "há muito se encontra obrigado a moderar, melhor dizendo, a dirigir em outro sentido sua ambição de ocupar um lugar central na corrente do porvir universal; deseja sentir, atuar, modelar o mundo à luz de seus desejos; em suma, ser um protagonista" (Freud, 1981, p. 1272).

Seja como for, Freud avança sua análise do espectador no sentido do que "o autor-ator do drama lhe possibilitam, permitindo-lhe a *identificação* com um herói" (Freud, 1978a, vol. VII, p. 80). Em nenhum momento o fundador da psicanálise preconiza – como faz Moreno – uma inversão de papéis que possibilite ao espectador passar a ser ator e autor de sua própria criação, ainda que volte a se pronunciar sobre o tema poucos anos depois, em 1907, em sua conferência *Der Dichter und das Phantasieren* [O criador literário e o fantasiar] (Freud, 1908/1978).

ILJINE, O GÊNIO, E A TÉCNICA ATIVA DE FERENCZI

A situação da Rússia em fins do século XIX e princípios do século XX – tal como descreve Petzold – era "de transformação e ruptura", que ele considera ter sido "enormemente frutífera para o decolar do gênio individual do cientista, do artista e do pensador". Segundo o psicólogo alemão, foi nessa atmosfera de mudança que teve início uma grande transformação no âmbito teatral russo, "no que concerne a toda concepção do teatro e ao papel e à tarefa do ator" (Petzold, 1973, p. 97). Além das já mencionadas atividades de Stanislavski e seu grupo, o desenvolvimento ocorreu também nos "sistemas de didática do ensino do ator" (p. 98) e no campo terapêutico.

Segundo Casson, Vladimir Iljine terá sido o primeiro, no século XX, a desenvolver "teatro terapêutico com pacientes psiquiátricos em Kiev, na Rússia pré-revolucionária" (Casson, 2004, p. 63). Petzold foi o terapeuta que mais diretamente trabalhou com Iljine a partir dos anos 1960, conseguindo evitar que suas contribuições caíssem no esquecimento. Petzold explica que, "como cientista (biologia e medicina), conhecedor das humanidades (filosofia e história) e artista (música e teatro)" (Petzold, 1973, p. 97), Iljine buscou a integração dessas três áreas no teatro terapêutico. O psicólogo alemão afirma que se tratava não somente de "um desejo surgido por uma parte do enciclopedismo e universalismo dos intelectuais russos daquela época", mas também por "suas raízes na concepção antropológica fundamental do homem como criador, como 'ser criador de cultura'", o que mostra sem dúvida sua semelhança com a filosofia de Moreno.

Segundo Petzold, Iljine retoma a ideia "que remonta à antiguidade, do *mundo como palco*" reiteradamente trabalhada "na história do Teatro (Shakespeare, *As you like it*, ato II, cena 7; Calderón, *Theatrum mundi*)". Para Iljine, "a vida é uma representação [*Spiel*]", entendendo-se esse conceito – comenta Petzold – "não apenas no sentido de propensão infantil ao jogo (παιδιά), mas além disso do criar sério (ἀγών) (cf. Iljine, *Morfologia do ser e do conhecer*, 1958)", que gera "novas realidades". Nas palavras do próprio Iljine:

> O jogo como qualidade da existência humana, que surge da *essentia humana*, cria um âmbito humano profundíssimo, que é sagrado e está livre da coação e da deformação. No jogo é possível encontrar-se com um homem enquanto homem, sem ter que temer, sem repelir ameaça alguma. No jogo é possível ser livre. Sair da coação e ingressar no verdadeiro jogo significa liberação, liberdade, superação da enfermidade no sentido da autorrealização criadora. (Iljine, 1909)
>
> Estas foram algumas reflexões que me levaram nos anos 1908-1910 a fazer teatro com homens em conflitos vitais e com doentes mentais. Ainda não tinha terminado meus estudos na Faculdade de Ciências Naturais e Medicina, mas já tinha começado minhas atividades filosóficas e musicais, e foram o conceito aristotélico de *catarse*, a música e o drama na Antiguidade e na Idade Média – ambos os assuntos me ocuparam durante minha vida inteira – os que me deixaram às claras que a interpretação teatral deveria ser uma via privilegiada para a cura da alma e do corpo. (Iljine, 1972)

Apesar da semelhança entre as práticas e a filosofia de Iljine e nosso protagonista, não parece haver na obra de Moreno qualquer referência específica à contribuição do erudito russo. O que informa Casson é que Iljine "finalmente se encontrou com Moreno em 1964, no primeiro Congresso Internacional de Psicodrama em Paris", e que também não considera prováveis as influências, afirmando que eles estiveram "descobrindo o potencial terapêutico do teatro independentemente" (Casson, 2004, p. 63-64).

A afirmação feita por Casson inclui também Sandor Ferenczi, "que estava utilizando jogos de papéis na psicanálise" quando Iljine e ele se encontraram "em 1922 em Budapeste". Já no capítulo 7 do livro *Moreno, o Mestre* (Guimarães, 2020, p. 107-109), eu tinha tratado das reações de Moreno aos intercâmbios entre Ferenczi e Freud sobre o tema "nos anos trinta e trinta e um", mas nesse caso Casson se refere à "técnica ativa" que o psicanalista húngaro havia apresentado em 1920, no 6º Congresso Internacional de Psicanálise. Nessa ocasião, Ferenczi descreve um caso no qual estimula "uma mulher a desempenhar o papel de sua irmã" (Casson, 2004, p. 63).

Isso é o que reporta Ferenczi em seu livro *Further contributions to the theory and technique of psycho-analysis* [Outras contribuições para a teoria e a técnica da psicanálise], em que inclui o texto de sua conferência, *The further development of an active therapy in psycho-analysis* [O desenvolvimento posterior de uma terapia ativa em psicanálise]. Aí ele conta:

> Depois de algumas dificuldades ela confessou que sua irmã tinha o hábito de acompanhar a canção com gestos expressivos e de fato bastante ambíguos, e fez alguns movimentos toscos com os braços para ilustrar o comportamento da irmã. Finalmente lhe pedi que se levantasse e repetisse a canção exatamente como tinha visto sua irmã fazê-lo. Depois de várias tentativas parciais intermináveis e sem vontade ela demonstrou ser uma *chanteuse* perfeita com toda a afetação de jogo facial e movimentos que tinha visto em sua irmã. A partir de então, ela parecia desfrutar dessas produções e começou a desperdiçar as horas de análise com essas coisas. (Ferenczi, 1927, p. 203-204)

A TEATROTERAPIA DE EVREINOFF E AS SEMELHANÇAS COM MORENO

Nicolai Evreinoff lança *An introduction to the monodrama* [Uma introdução ao monodrama] na então Petrogrado de 1909, no mesmo ano em que Iljine lança em Kiev sua *Interpretação teatral improvisada para o tratamento de sofrimentos anímicos*. Segundo o crítico de teatro estadunidense Oliver M. Sayler, autor de *The Russian theatre* [O teatro russo], Evreinoff define essa modalidade de teatro como "o tipo de representação dramática que trata com a maior plenitude de comunicar ao espectador o estado da alma do personagem atuando, e se apresenta no palco do mundo circundante como o concebe em qualquer momento em sua experiência no palco" (Sayler, 1922, p. 232-233).

Ainda que Evreinoff proponha a identificação entre o ator e o espectador como "a pedra angular do monodrama" – e para isso "deve haver no palco apenas um único tema de atuação" –, sua proposta se aproxima mais da de Richard von Meerheimb com seus "monodramas" e "psicodramas": em nenhum momento se trata de improvisação posta em cena.

A propósito, é o próprio Oliver Sayler que assina a introdução de *The theatre in life* [O teatro na vida], publicado por Evreinoff em 1927, saudando "o tão esperado manual das tendências modernas no teatro" e afirmando tratar-se da "primeira declaração adequada dos fundamentos psicológicos da revolta contra o realismo dramático" (Sayler, 1927, p. VIII).

De fato, no capítulo "Teatroterapia", Evreinoff observa:

> É a magia do teatro, e nada mais, que lhe dá uma nova consciência, uma nova escala de sentimentos, um novo interesse pela vida e uma nova vontade de viver. E nessa vontade de viver, como sabemos, se encontra o segredo de nossa vitória sobre muitas enfermidades corporais.
> [...] Recordemos a importância que um xamã ignorante, ou um feiticeiro da Rússia, atribuem a seu vestuário teatral e a seus gestos quando são convocados à cabeceira de um paciente. Consideremos o caráter teatral do ato de "encantar uma dor de dentes para fora" entre os camponeses russos. Por último, recordemos a sensação de uma nova vitalidade que experimentamos depois de ter visto uma obra de teatro interessante.
> A teatroterapia está ainda em sua etapa inicial de desenvolvimento. [...] Algum dia espero poder escrever um livro sobre ela. Enquanto isso, eu simplesmente quis chamar a atenção do leitor para esta nova cura já empregada por alguns médicos e por alguns diretores de cena em cujo poder, por mais estranho que pareça, se encontra uma das armas mais poderosas para salvaguardar a saúde da humanidade. (Evreinoff, 1997/2013, p. 123, 126-127)

O livro que Evreinoff desejava escrever parece não ter sido feito, mas a referência a "alguns médicos" e "alguns diretores" utilizando "esta nova cura" seguramente se concretizou, tanto com o desenvolvimento do psicodrama como com outras modalidades de dramaterapia. E Evreinoff finalmente adverte:

> Entreter os espectadores todas as noites com peças do repertório antigo e sempre na mesma velha maneira é passar por alto o fato de que o organismo humano, quando se acostuma a um mesmo medicamento administrado da mesma maneira, deixa de obter qualquer benefício dele. (p. 127)

Tentando investigar as relações entre os dois, Casson conclui que os conceitos de Evreinoff estão "a poucos passos do psicodrama", mas que "qualquer semelhança entre Moreno e as ideias de Evreinoff pode ser inteiramente coincidência" (Casson, 1999, p. 30).

Seja como for, depois de toda a série de experiências de teatro terapêutico anteriores ao trabalho de Moreno, fica evidente que a criação do método psicodramático não aparece como invenção à parte, mas como processo que foi sendo construído gradualmente, a partir das práticas e análises exploratórias da criança, do jovem, e depois do médico envolvido com os problemas mentais e sociais de seu tempo, no velho Continente.

3. Moreno num jogo de espelhos: modificações do método psicodramático

A VEZ DO "PSICODRAMA ANALÍTICO", COMEÇADO PELOS FRANCESES

Referindo-se à existência de um grande número de "métodos psicodramáticos" – e contribuindo com isso para criar mais confusão sobre a diferença entre método e técnica –, o próprio Moreno cita em 1959 o cálculo feito por um de seus colaboradores, Pierre Renouvier, que chegou a contar "até 351" deles (Moreno, 1966, p. 137), em seu livro *Gruppenpsychotherapie und Psychodrama: Einleitung in die Theorie und Praxis* [Psicoterapia de grupo e psicodrama: introdução à teoria e à prática], escrito em alemão. Já nesse trabalho o psiquiatra comenta de forma ampla sobre "as modificações dos métodos psicodramáticos", destacando as mudanças feitas nos Estados Unidos e na França, Suíça, Holanda, Inglaterra, Áustria e Alemanha (p. 142-154).

É num artigo inédito, porém, que Moreno vai analisar mais detalhadamente a primeira modificação significativa promovida em seu método. Trata-se de "Psychodrama and psychoanalysis, similarities and differences" [Psicodrama e psicanálise, semelhanças e diferenças], que aparece nos arquivos de Harvard como produzido "por volta dos anos 1960" (Moreno, c. 1960), mas que foi apresentado em junho de 1961 em Montreal, Canadá, durante o Terceiro Congresso Mundial de Psiquiatria.

De fato, os anais do evento transcrevem em inglês, francês, alemão e espanhol um resumo do assunto tratado (Moreno, 1961a, p. 512-516). Aliás, algo muito negativo terá transcorrido nesse congresso, pois o próprio Moreno, em carta de 11 de julho de 1961 ao psiquiatra francês Serge Lebovici, revela que está "muito desconcertado em relação ao encontro de Montreal, pois em vez de esclarecer as honestas diferenças que podem existir entre os vários grupos se confundiu ainda mais a questão", acrescentando: "Como você sabe, tenho uma profunda admiração pelo excelente trabalho que vem sendo realizado na França, há mais de dez anos, por psiquiatras e psicólogos" (Moreno, 1961, p. 20).

É importante notar que, ao contrário da longa relação conflituosa entre Moreno e o psicólogo e psicanalista Samuel Slavson, fundador da Associação Norte-Americana de Psicoterapia de Grupo, as relações entre Moreno e Lebovici permaneceram frequentes e cordiais. Em seu artigo sobre psicoterapia de grupo na França, escrito para o *International handbook of group psychotherapy*, Lebovici chega a observar que "devemos prestar uma homenagem especial a Moreno, porque este autor, com cujos pontos teóricos nem sempre concordamos, tem o grande mérito de inventar métodos cujo uso dá resultados consideráveis" (Lebovici, 1958, p. 12).

Em todo caso, de acordo com comentários de Moreno em seu artigo inédito, "o psicodrama, que tem o sociodrama e o jogo de papéis como subdivisões, permaneceu relativamente intacto até cerca de 1950", observando que foi a intervenção da psicanálise que causou um cisma na França, "encabeçado por Lebovici e [Didier] Anzieu". Em outras palavras, ele explica, "o psicodrama clássico (Moreno) foi confrontado pelo 'psicodrama analítico'" (Moreno, c. 1960, p. 1). Moreno também observa que "o psicodrama clássico foi introduzido na França logo após o fim da Segunda Guerra Mundial", quando uma missão de psiquiatras, psicólogos e assistentes sociais esteve nos Estados Unidos "para se familiarizar com os novos métodos de psicoterapia", acrescentando que "o psicodrama clássico exerceu a maior influência nos círculos terapêuticos e não terapêuticos, principalmente graças a uma série de publicações populares na *Les Temps Modernes* em 1950". Para ele, a força motriz durante esse desenvolvimento inicial foi Anne Ancelin Schützenberger, que, tendo sido "a primeira estudante francesa a ficar nos Estados Unidos para capacitação prolongada como residente em 1950-51", foi a pioneira na França, "particularmente no sociodrama industrial e na terapia com adolescentes delinquentes, em 1952" (p. 2).

Embora argumente que "um método científico necessita de desafios contínuos" e que "reavaliação e melhorias são essenciais para sua sobrevivência", Moreno afirma que, lendo os relatos psicodramáticos de psicanalistas franceses, para sua surpresa não encontrou "uma única coisa que ele consideraria como uma contribuição própria" da parte deles. Além da expressão "psicodrama analítico" emprestada dele mesmo, o psiquiatra apresenta uma lista do que considera "duplicações", incluindo o uso habitual das mesmas técnicas e a aplicação de "métodos psicodramáticos tanto a crianças como a adultos, a neuroses, bem como a psicoses, distúrbios psicomotores como gagueira e tiques, sonhos noturnos, bem como sonhos diurnos" (p. 3-4).

Sobre os "desvios", o psiquiatra afirma que o que "é considerado importante pelo grupo de Lebovici é a interpretação e a análise das produções psicodramáticas no sentido psicanalítico". Para Moreno, muitos psicólogos que se interessaram pelo psicodrama como método de terapia e pesquisa "tentaram colocá-lo em harmonia com sua formação psicanalítica", e parece lógico que "tentarão usar o psicodrama para que cumpra estritamente com os ensinamentos psicanalíticos (Lebovici)", ou então "encontrar uma posição intermediária (Anzieu)" (p. 6).

Em 1956, Didier Anzieu publicou sua tese de doutorado *Le psychodrame analytique chez l'enfant* [O psicodrama analítico na criança], como resultado de sua prática psicodramática, "desde 1950, com crianças que apresentavam dificuldades de adaptação familiar, social e principalmente escolar" (Anzieu, 2008, p. 11). Para Anzieu, o esforço de tornar psicanalítico o psicodrama "é uma corrente muito especificamente francesa, já que em nosso país são essencialmente os psicanalistas os que se interessaram pela descoberta de Moreno e iniciaram sua transformação" (p. 88). Além de mudanças como a limitação do número de participantes e "personagens auxiliares", ele destaca as seguintes modificações introduzidas:

> [...] o estrado é abandonado, já que um palco sem público não tem o menor sentido; a sala se transforma em área de jogos; nesse espaço, ninguém pode permanecer fora do teatro; o condutor do jogo se introduz na ação da mesma forma que os personagens auxiliares; já não é permitido deixar o jogo enquanto dura a sessão; as interpretações escasseiam. (p. 90-91)

A reação de Moreno a Anzieu, sempre no mesmo artigo, foi bastante positiva:

> Quanto a Anzieu, com quem a psiquiatria francesa tem uma grande dívida por seu brilhante relatório sobre o "psicodrama de Moreno" em seu livro *O psicodrama analítico na criança*, as diferenças entre seu método

> e o método clássico são mais difíceis de descobrir. [...] É provável que estejamos tratando aqui de conceitos semânticos equivocados, vieses individuais e rivalidades entre pai e filho. Poderia ser de grande ajuda para todos nós que estamos fazendo psicodrama aberta ou secretamente, os Rosen, os Anzieu, os Lebovici, os Diatkine, os Friedemann, os Stokvi, os Moreno, que nos reuníssemos e demonstrássemos nossas operações num seminário especial, lado a lado, com os mesmos pacientes. Talvez pudéssemos chegar mais rapidamente a um entendimento e, então, escrever artigos e livros, publicados lado a lado, em idiomas diferentes, cada um pensando ter começado uma nova escola de pensamento. É provável que descubramos que é tudo a mesma coisa ou, pelo menos, variações sobre o mesmo tema. (Moreno, c. 1960, p. 7-8)

Embora não haja evidências quanto à realização do tal seminário proposto por Moreno, é fato que as aplicações do chamado psicodrama analítico na França não foram um modismo passageiro. Pelo contrário: no prefácio à terceira edição do seu livro, em 1994, Anzieu comenta que, "ao longo deste meio século", pôde testemunhar "o importante e contínuo desenvolvimento do método do psicodrama na França", e que, como o teste de Rorschach na clínica individual, "o psicodrama na terapia de grupo se mantém e se confirma como um dos métodos-chave do trabalho dos psicólogos, especialmente quando esses métodos são enriquecidos pelo uso do pensamento psicanalítico" (Anzieu, 2008, p. 1). Além disso, acrescenta Anzieu, "o psicodrama se adapta a uma ampla variedade de referências teóricas: freudiana, kleiniana, winnicottiana, lacaniana" (p. 3).

Em 1963, três psicanalistas franceses (Simone Blajan-Marcus, Henriette Michel-Lauriat e Paul Lemoine) fundam a Société d'Études du Psychodrame Thérapeutique [Sociedade de Estudos do Psicodrama Terapêutico], que, dez anos depois, muda o termo "terapêutico" para "prático e teórico", e chega a atuar tanto na França quanto na Bélgica, no Canadá e na Itália. A partir de 1965, a associação lança sua revista trimestral, *SEPT*, que corresponde ao número sete em francês, e que passa a se chamar *Revue du Psychodrame Freudien* [Revista do Psicodrama Freudiano] em dezembro de 1976.

Desde então, os membros da equipe vão mudando, mas tanto a associação quanto a revista continuam a funcionar, tendo como objetivo "o estudo, a pesquisa e a aplicação do psicodrama freudiano e o seu exercício".

Segundo o *site* da sociedade, que continua a trabalhar num âmbito terapêutico tanto de psicodrama individual quanto em grupo, "a invenção de Moreno é retomada na sua primeira inspiração", ou seja, trata-se de "aproveitar o desafio atual que o participante traz, e de fazê-lo ser representado aqui e agora – mas são os conceitos forjados pela psicanálise de Freud a Lacan que norteiam as intervenções dos psicodramatistas" (*Revue du Psychodrame Freudien*, 2016). Aliás, em plena pandemia de Covid-19, essa Sociedade organizou em Paris, no sábado 27 de novembro de 2021, uma jornada de estudos com o tema "Remémoration(s) en psychodrame" [Rememorações no psicodrama]. Já o número 155 da revista foi dedicado ao tema "Dire et faire en psychodrame freudien" [Dizer e fazer no psicodrama freudiano].

O ENCONTRO QUE NÃO HOUVE E O "PSICODRAMA JUNGUIANO"

Em seu livro de memórias, Zerka informa que, durante os anos 1960, Moreno entabulou correspondência com Carl Jung, "esclarecendo as diferenças entre a ideia de Jung do inconsciente coletivo e a dele, dos estados coinconscientes e coconscientes nas relações interpessoais". Segundo ela, os dois tinham inclusive marcado um encontro na Suíça para junho de 1961, o que não chegou a acontecer. Quando chegaram a Küssnacht, comenta Zerka, "a empregada doméstica de Jung nos informou que ele acabava de ser hospitalizado com pneumonia. Foi sua última hospitalização" (Z. T. Moreno, 2012, p. 353). Como já é sabido, o psiquiatra suíço veio a falecer em 6 de junho de 1961. No entanto, nos arquivos de Harvard não foram encontradas evidências da correspondência entre os dois.

O que realmente aparece nos arquivos é um texto manuscrito "dos anos cinquenta", *Psychodrama: with introductory remarks concerning group psychotherapy* [Psicodrama: com observações preliminares sobre psicoterapia de grupo], no qual Moreno afirma: "As ideias de Jung sobre o inconsciente coletivo e os arquétipos encontram no socio- e no axiodrama uma fonte inesgotável de pesquisa empírica e desenvolvimento subsequente" (Moreno, c. 1950, p. 9). Já em 1960, no livro *The sociometry reader* [O leitor de sociometria], Moreno faz o seguinte comentário crítico sobre o conceito junguiano de inconsciente coletivo:

> Jung postula que cada indivíduo possui, além de um inconsciente pessoal, um inconsciente coletivo. Embora a distinção possa ser útil, não

> ajuda a resolver o dilema descrito. Jung não aplica o inconsciente coletivo às coletividades concretas nas quais as pessoas podem viver. Nada se ganha na transformação de um [inconsciente] pessoal num "inconsciente coletivo" se, com isso, se perde a ancoragem ao *concreto*, seja individual, seja coletivo. Se tivesse retornado ao grupo desenvolvendo técnicas como psicoterapia de grupo ou sociodrama, ele poderia ter ganhado uma posição concreta para sua teoria do inconsciente coletivo, mas, do jeito que está, ele minimizou a ancoragem individual, sem estabelecer uma "ancoragem coletiva" em contraposição. O problema aqui não são as imagens coletivas de uma determinada cultura ou da humanidade, mas a relação e a coesão *específicas* de um grupo de indivíduos. (Moreno, Jennings et al., 1960, p. 116-117)

Apesar do desencontro histórico entre os dois psiquiatras, verifica-se que a intersecção entre Moreno e Jung não deixou de ocorrer em práticas terapêuticas posteriores. Craig E. Stephenson, organizador do livro *Jung and Moreno*: *essays on the theatre of human nature* [Jung e Moreno: ensaios sobre o teatro da natureza humana], por exemplo, menciona a atriz Doreen Elefthery e seu marido, o psiquiatra Dean Elefthery, que, após serem formados por Moreno em Nova York no início dos anos 1960, treinam na Europa os analistas junguianos Helmut Barz e Ellynor Barz. São os Barz que vão criar, em 1991, em Zumikon, na Suíça, seu próprio instituto de psicodrama, "baseado nos princípios da psicologia junguiana", relata Stephenson (2014, p. 9).

Entre as modificações introduzidas, Ellynor comenta que, a exemplo do que os Elefthery fizeram, os Barz passaram a usar, nas sessões de psicodrama, "não um, mas dois facilitadores ou diretores", ou seja, um como diretor da sessão e o outro como "companheiro psicoterapêutico do protagonista" (*apud* Stepherson 2014, p. 9). Por outro lado, na obra coletiva *Psychodrama: advances in theory and practice* [Psicodrama: avanços na teoria e na prática], os analistas junguianos Maurizio Gasseau e Wilma Scategni (2007) explicam que, nessa modalidade psicodramática, às três fases (aquecimento, dramatização e compartilhamento) é acrescentada uma quarta, a de "observações", que "devolve ao grupo conexões, imagens e vínculos que se abrem a várias leituras e refletem os diferentes modos de ver e sentir de cada membro do grupo" (Gasseau & Scategni, 2007, p. 266).

Além disso, Gasseau e Scategni observam que, "normalmente, os grupos de psicodrama junguiano raramente usam aquecimento", acrescentando que, "quando são usados, normalmente seria para 'desbloquear' situações" (p. 266).

Já a psicóloga chilena Niksa Fernández, também formada pelos Moreno em Beacon, responsável pela psicoterapia psicodramática de grupos na Venezuela a partir de 1973 e pela formação de psicodramatistas a partir de 1990, desenvolve como analista junguiana o chamado ***psicodrama arquetípico***, que ela define como

> [...] uma modalidade de Psicodrama baseada nos conceitos da psicologia analítica de Carl Gustav Jung, em que se privilegia a elaboração simbólica e arquetípica, a partir da ampliação das imagens que emergem no decorrer do procedimento psicodramático. Ambos os métodos permitem entrar em contato com o irracional do inconsciente e a ruptura com a racionalidade e o intelectualismo.
> Essa modalidade, dentro da linha do pensamento teórico, teve diferentes denominações; psicodrama moreneano-junguiano [sic], psicodrama junguiano, psicodrama individuativo, psicodrama analítico-sintético. Quanto aos representantes que deram contribuições valiosas, os encontramos na: Suíça, Itália, Espanha, Argentina, Brasil, Chile e Venezuela. (Fernández, 2013, p. 31)

É bom que se diga que o conceito de psicodrama arquetípico apresentado por Fernández se inspira diretamente na chamada ***psicologia arquetípica***, desenvolvida pelo psicólogo norte-americano James Hillman. Segundo ele, o termo "arquetípico", em contraste com o "analítico",

> [...] que é o nome usual para psicologia junguiana, foi preferido não apenas porque refletia "a teoria mais profunda das obras posteriores de Jung, que tenta resolver problemas psicológicos além dos modelos científicos" (Hillman 1970b); foi preferido principalmente porque "arquetípico" pertence a toda a cultura, a todas as formas de atividade humana, e não apenas aos praticantes profissionais da terapêutica moderna. (Hillman, 1983, p. 1)

O "PROBLEMA MORENO", A ABORDAGEM GESTÁLTICA E A CULTURA DOS ENCONTROS

Na resenha que Eric Berne faz para o livro de Fritz Perls *Gestalt Therapy Verbatim* – traduzido para o português como *Gestalt-terapia explicada* –, o psiquiatra canadense comenta:

> Fritz é um homem culto. Ele toma emprestado ou usurpa da psicanálise, da análise transacional e de outras abordagens sistemáticas, mas sabe quem é e não termina como um eclético. Em sua seleção de técnicas específicas, ele compartilha com outros psicoterapeutas "ativos" o "problema Moreno": o fato de que quase todas as técnicas "ativas" conhecidas foram testadas pela primeira vez pelo dr. J. L. Moreno no psicodrama, o que torna difícil chegar com uma ideia original nesse sentido. (Berne, 1970, p. 163-164)

Jonathan Moreno comenta que, segundo o psicólogo social estadunidense Walter Truett Anderson, o dr. Perls tinha frequentado psicodramas de Moreno em Nova York e depois desenvolvido "sua própria forma dramática de terapia de grupo". Além disso, acrescenta Jonathan:

> Como Fritz aspirava ao teatro quando jovem, a ideia da vida como uma performance veio facilmente para ele. Ele concluiu que muitos de nossos problemas decorrem do fato de sermos prisioneiros dos roteiros que outros escrevem para nós. Seu objetivo era conscientizar as pessoas sobre esses roteiros impostos para que escrevessem os seus próprios, assumindo a responsabilidade por sua própria atuação. (A semelhança com as primeiras visões de J. L. é grande demais para ser ignorada.) (J. D. Moreno, 2014, p. 215-216)

O que Perls observa em *Gestalt-terapia explicada* é que ele utiliza o jogo de papéis, mas de maneira distinta da de Moreno, ou seja:

> Deixo o paciente representar todas as partes, porque somente se ele realmente as representar poderá alcançar a identificação plena, e a identificação é a ação oposta à *alienação*. [...] Daí a vantagem do jogo de papéis; ainda mais se eu deixar o paciente fazer *todos* os papéis sozinho, nós al-

> cançamos um quadro muito mais amplo do que se usarmos a técnica de sicodrama [sic] de Moreno. Ele chama para atuar outras pessoas que sabem muito pouco sobre si mesmas. Elas trazem *suas próprias* fantasias ou *suas próprias* interpretações. O papel do paciente é falsificado porque o outro também tem suas peculiaridades. Mas, se tudo é feito por você mesmo, pelo menos sabemos que estamos dentro de nós mesmos. Além do mais, no sicodrama, você geralmente precisa se limitar apenas às pessoas; em vez disso, o uso da cadeira vazia nos permite desempenhar papéis de todos os tipos de coisas: rodas, aranhas, trilhos perdidos, dores de cabeça, silêncio. (Perls, 1974, p. 134, itálicos no original)

Na verdade, tanto a técnica da cadeira vazia como a representação de quaisquer papéis de objetos, ideias, sentimentos ou coisas imaginárias, além de pessoas, são elementos presentes na prática psicodramática desenvolvida por Moreno, mas não há dúvida de que Perls modifica a técnica moreniana do jogo de papéis ao preferir que o próprio protagonista – e não outros egos auxiliares – represente diferentes papéis. Por outro lado, em *El enfoque guestáltico & testimonios de terapia* [A abordagem gestáltica e testemunhos de terapia], Perls dedica um capítulo ao tema "ir e vir, psicodrama e confusão", procurando mais uma vez utilizar os recursos psicodramáticos, mas insistindo quanto a "uma limitação óbvia no uso isolado da técnica do dar-se conta":

> Podemos brincar de sicodrama [sic] com nossos pacientes e também podemos pedir que joguem sozinhos, um jogo que chamamos de "monoterapia". Neste último caso, o paciente cria seu próprio cenário, seus próprios atores, sua direção e sua expressão. Isso lhe dá a oportunidade de perceber que tudo o que fantasia está nele, e também lhe dá a oportunidade de ver os conflitos dentro dele. Assim, a monoterapia evita a contaminação e os conceitos de outras pessoas que geralmente costumam interferir no sicodrama convencional. Além disso, usamos várias outras técnicas. (Perls, 1976, p. 89)

Mais tarde, nesse mesmo texto, Perls finalmente reconhece algo que levou anos para declarar:

> Existem várias escolas, além da nossa, que usam o método de autoexpressão como meio de reidentificação. Todas são abordagens essencialmente integrativas, mas eu gostaria de selecionar a técnica sicodramática [sic] de Moreno como uma das mais vitais e também como outra demonstração de como podemos usar a técnica do ir e vir. (Perls, 1976, p. 95)

Já para o psicólogo William C. Schutz, diretor de programas do instituto Esalen e líder do movimento dos chamados "grupos de encontro", o depoimento que traz em seu livro *Todos somos uno*: *la cultura de los encuentros* [Todos somos um: a cultura dos encontros] também merece atenção:

> A menção de Moreno sempre me lembra, de alguma forma, a questão da prioridade. Conheci Moreno há alguns anos num almoço amigável durante o qual ele me disse que ficara agradavelmente impressionado com [o livro] *Joy* [Alegria]; aparentemente, sua preferência vinha em parte do fato de eu estar usando abordagens e métodos em que ele foi pioneiro. Antes desse encontro, eu já tinha ouvido isso de alguns de seus apoiadores, e quando comecei a investigar o assunto descobri para minha consternação que eles estavam certos em quase tudo que diziam: praticamente todos os métodos que eu, muito orgulhoso, tinha inventado ou compilado já haviam sido apresentados por ele em maior ou menor grau, em alguns casos há quarenta anos. A única exceção foram os métodos de fantasia, que peguei de Leuner e Desoille, adaptando-os. Assim, quando Moreno aludiu à sua prioridade no assunto, tirei o ás da manga: "E a fantasia? Você não inventou isso! Rá!". Ele pacientemente me mostrou que os artigos originais de Leuner haviam aparecido em sua revista por volta de 1932 e, desde essa data, ele havia recorrido a esse método. Mais uma vez me vi frustrado! Convido meus leitores, então, a estudar a obra de Moreno; ela provavelmente não conta com o reconhecimento que merece neste país. A Gestalt-terapia de Perls deve muito a ela. É um trabalho imaginativo e digno de ser investigado. (Schutz, 1978, p. 204-205)

CONTRATO, TEMA E PREOCUPAÇÃO TÓPICA: O "PSICODRAMA ESTRATÉGICO"

Para o psiquiatra britânico Chris Farmer, autor de *Psychodrama and systemic therapy* [Psicodrama e terapia sistêmica], "uma exposição completa e definitiva do psicodrama como terapia sistêmica" foi feita pelo psicodramatista australiano Antony Williams, em 1989 (Farmer, 1995, p. 1). Farmer se refere a *The passionate technique: strategic psychodrama with individuals, families and groups* [A técnica apaixonada: psicodrama estratégico com indivíduos, famílias e grupos], obra na qual Williams apresenta outra das modificações concebidas a partir do psicodrama de Moreno. Ele mesmo reconhece ter construído as bases de sua proposta terapêutica levando em consideração um "modelo do interesse central" ["central concern model"], desenvolvido no hospital St. Elizabeths pelo psicólogo James Mills Enneis, formado por Moreno. "Os três elementos essenciais no modelo formal são contrato, tema e preocupação tópica" (Williams, 1989, p. 36), explica, detalhando cada um deles:

> Os membros do grupo podem pedir algo que o diretor sabe que é impossível; se ele ou ela concordar, embora parcialmente, com o objetivo impossível, a terapia é implicitamente definida como um fracasso desde o início. Os diretores têm que negociar com um protagonista que tenta estabelecer um contrato "global" que tem poucas chances de sucesso e ajudá-lo a se adaptar a um que seja mais acessível. (p. 36) [...]
> O tema do grupo refere-se às dimensões afetivas que o grupo enfrenta em determinado momento – sua emoção primária. [...] Para discernir o tema em determinada ocasião, os diretores precisam se "desconectar" do conteúdo e ouvir ou sentir a emoção dominante. (p. 49) [...]
> A preocupação tópica dos grupos deriva de duas correntes denominadas "o conteúdo manifesto" e "a matriz de identidade", em linguagem psicodramática. A preocupação tópica é a ampla área de foco produzida pelas interações dos membros do grupo uns com os outros. O conteúdo manifesto compreende as próprias palavras pronunciadas pelos membros do grupo enquanto interagem. [...] A matriz de identidade refere-se às crenças do protagonista sobre a origem do problema – onde nasceu, por assim dizer. (p. 52)

Tentando descrever a diferença principal entre o "psicodrama estratégico" e o "psicodrama convencional", Williams esclarece:

> [...] a maior parte do trabalho estratégico é realizada em grupo antes da apresentação, especialmente para refinar o que é um problema, quais são

> os objetivos mínimos para a mudança e como o protagonista ou qualquer outra pessoa de seu átomo social se daria conta se tivessem mudado. O questionamento estratégico também pode ocorrer semanas após o psicodrama, quando as mudanças do drama são destacadas. (p. 81)

Considerando que o foco do psicodrama estratégico é o problema e sua solução, Williams entende que a questão não é tanto "quanta gente está realmente envolvida no problema, ou quantos estão presentes no psicodrama, mas quantas pessoas estão envolvidas na maneira do diretor de pensar no problema" (p. 84). Ou seja, reconhece que "os terapeutas estratégicos assumem a responsabilidade de influir diretamente em seus clientes" (p. 90-91).

O trabalho psicodramático de Chris Farmer com famílias britânicas, por sua vez, é reconhecido por Zerka Moreno por sua ação junto a sistemas sociais. Zerka é autora do prefácio de seu livro *Psychodrama and systemic therapy* e, curiosamente, Zerka aproveita a oportunidade para observar:

> Ocorre-me que talvez o próprio termo "psicoterapia" devesse ser revisado. Temos certeza de que curamos psiques? Moreno acreditava que as psiques são particularmente difíceis de influenciar. Ele sentia que eram os relacionamentos que as influenciavam, e que era por meio dos relacionamentos que a cura poderia ocorrer. Devemos começar a nos chamar de "terapeutas de relacionamento"? (Z. T. Moreno, 1995, p. XII-XIII)

Com base em sua experiência como psiquiatra no sistema nacional de saúde britânico – para o qual o psicodrama é considerado uma das terapias oficiais –, Farmer tentou vincular o pensamento sistêmico à ação em psiquiatria. O terapeuta explica que "uma visão geral da terapia como mudança diz respeito à associação entre crença, percepção e comportamento", ou seja, "o que acreditamos é afetado pelo que vemos, o que, por sua vez, depende de qual é o comportamento levado a cabo. Da mesma forma, nossas crenças afetam a forma como vemos o mundo" (Farmer, 1995, p. 2), acrescenta.

Segundo Farmer, o psicodrama, por um lado, "permite que o comportamento seja vivenciado em diferentes níveis e visto de muitos pontos de vista, tanto por observadores quanto pelos sujeitos da ação", e, por outro, "explora a abundância de possíveis ideias, sentimentos e ações para criar oportunidades a fim de determinar a forma como estas podem se relacionar" (Farmer, 1995, p. 2). Além disso, o psiquiatra argumenta:

> O movimento também muda as circunstâncias do ator como observador de si mesmo. Assim como o pianista ouve sua música enquanto seus dedos estão agindo, também o ator autorreflexivo experimenta a si mesmo estimulado enquanto atua. Na medida em que vê a mesma cena de forma diferente ao mudar de posição, experimenta os demais no palco num aspecto novo. (p. 10)

Farmer não afirma isso explicitamente, mas não há como deixar de perceber, pela descrição que ele faz das mudanças na experiência psicodramática, a ocorrência dos fenômenos de aprendizagem pelo qual passam as pessoas envolvidas durante o desenvolvimento do processo terapêutico.

"FOI ASSIM?" ENTRE O "PLAYBACK THEATRE" E O "TEATRO ESPONTÂNEO"

Antes de fundar o *playback theatre* com sua esposa, a neozelandesa Jo Salas, em 1975, Jonathan Fox tinha acabado de concluir sua formação em psicodrama no Instituto Moreno de Beacon (Salas, 2007, p. 10). Buscando marcar a diferença na definição de sua proposta, o próprio Fox procura comparar sua abordagem tanto com o método desenvolvido por Moreno quanto com o *teatro do oprimido*, do brasileiro Augusto Boal:

> Ao contrário do psicodrama, o *playback theatre* não se posiciona no domínio terapêutico, embora se baseie no conceito de mudança construtiva. Ao contrário do Teatro-Fórum [de Boal], o *playback theatre* não parte de qualquer hipótese do que poderia ser a "opressão" de um determinado público, mas confia que os membros de um grupo, por meio de suas histórias pessoais, sempre vão propor questões de importância para eles. Não rejeitamos o pessoal; aceitamos qualquer história ou qualquer assunto; e, ao contrário do psicodrama e do TO [Teatro do Oprimido], aceitamos histórias de alegria, bem como de sofrimento. (Fox, 2010, p. 3)

Embora parte das afirmações de Fox sobre o psicodrama possa ser questionada – o método de Moreno não se limita ao campo terapêutico, nem rejeita "histórias de alegria" ou qualquer tema positivo proposto –, é verdade que a experiência desenvolvida pelo ex-aluno de Harvard está mais perto do teatro de improvisação (*Stegreiftheater*) praticado por Moreno em Viena. De fato, o próprio Fox declara que se sente "mais aliado a essa tradição do que àquela que se desenvolveu posteriormente" (p. 2).

De acordo com Anthony Frost, professor de teatro, e Ralph Yarrow, professor emérito de teatro e literatura comparada, ambos da Universidade de East Anglia e autores de *Improvisation in drama, theatre and performance: history, practice and theory* [Teatro e atuação: história, teoria e prática], no *playback theatre*, por um lado, "o 'Diretor' do psicodrama é substituído por um 'Maestro' que facilita o evento e solicita histórias ao público". Por outro lado, "o 'Protagonista' se torna o ator que interpreta o 'Narrador' do público", enquanto "os egos auxiliares do psicodrama são formalizados aqui por atores profissionais" (Frost & Yarrow, 2016, p. 97).

Frost e Yarrow também comentam que, frequentemente acompanhados de um músico, os atores passam a encenar as histórias contadas: "O ator que representa o Narrador conduz a ação improvisada, garantindo que o ponto de vista do Narrador continue sendo o eixo central da produção". Para isso, afirmam, "os eventos são encaminhados ao Narrador para sua confirmação ('Foi assim?') e podem ser ajustados e revistos" (p. 98). O que os dois professores não chegam a comentar, e que vale a pena observar na prática do *playback theatre*, é que os membros do público são incentivados a contribuir com suas histórias, mas em nenhum momento eles ou o narrador são convidados a interpretá-las, o que constitui um retrocesso em termos de participação, em relação aos avanços propostos por Moreno já em seu período europeu.

Jonathan Fox é também o organizador do livro *The essential Moreno: writings on psychodrama, group method, and spontaneity by J. L. Moreno* [Moreno essencial: escritos sobre psicodrama, método de grupo e espontaneidade, por J. L. Moreno], que reúne una série de textos fundamentais produzidos pelo psiquiatra nos Estados Unidos. Em sua introdução, Fox comenta:

> Embora o *corpus* da obra escrita de Moreno seja considerável, em sua maior parte ele próprio o publicou. Seu trabalho não foi editado nem distribuído profissionalmente – para a crescente frustração dos interessados em suas ideias. [...] Nas seleções incluídas neste volume, Moreno de-

> fende seus métodos com veemência, e às vezes com eloquência. Mas apesar de seu compromisso com a ciência, evidenciado pela natureza técnica de sua linguagem, Moreno nunca perdeu as crenças filosóficas e religiosas de sua juventude. Na verdade, as práticas e os métodos desse documento são baseados numa filosofia de serviço, coragem e compaixão que, em última análise, talvez não possa ser descrita e preservada, mas deva ser vivida para ser totalmente compreendida. (Fox, 1987, p. XIX).

Sobre o *playback theatre*, os professores de East Anglia afirmam ainda que "se tornou um sucesso internacional, com suas maiores filiais na Austrália, Alemanha e Reino Unido", acrescentando que sua rede reúne "mais de uma centena de companhias em cerca de 40 países" (Frost & Yarrow, 2016, p. 97). Já o *site Playback Centre* informa que a modalidade "é praticada em mais de 60 países", citando escolas de treinamento atualmente associadas às dos Estados Unidos nos seguintes países: África do Sul, Alemanha, China [Hong Kong], Cingapura, Coreia do Sul, Egito, Espanha, Grécia, Israel, Itália, Japão, Noruega, Portugal, Suécia, Reino Unido, Rússia e Ucrânia.

Aliás, é importante mencionar que para o saudoso psicólogo brasileiro Moysés Aguiar, autor de *Teatro espontâneo e psicodrama*, a proposta desenvolvida por Fox e Salas é uma das modalidades mais conhecidas de teatro espontâneo. Segundo Aguiar, são especificamente oito: "a *role-playing*, o diário vivo, o axiodrama, o *playback theatre*, a multiplicação dramática, a peça didática (Brecht), o teatro do oprimido e a dramaterapia" (Aguiar, 1998, p. 44).

O próprio Aguiar fala do "*boom* nacional e internacional do teatro espontâneo" observado nos anos 1990, referindo-se à proliferação de manifestações de "um teatro do momento, combinando improvisação e interatividade", que conseguiu "tomar o pulso dos movimentos sociais" e que, ao mesmo tempo, promoveu "as transformações possíveis" (p. 12). Na verdade, desde então, houve um número considerável de grupos que atuam informalmente, especialmente na América Latina, no âmbito do teatro espontâneo. Na Argentina, por exemplo, é o caso da companhia cordobesa El Pasaje, ou de La Banda de Teatro Espontáneo, de Buenos Aires; no México, o Colectivo de Artes de Participación (Carpa) e a Compañía de Teatro Espontáneo Arte Cotidiano; no Uruguai, a Compañía Lacomte e El Rebote Compañía de teatro espontâneo; no Chile, a Compañía El Vuelo e a Compañía Altoque; em Cuba, a Compañía de Teatro Espontáneo Comunitario de Havana, numa lista que está longe de ser exaustiva.

DO PSICODRAMA ÀS "CONSTELAÇÕES": COMPARTILHAR NÃO É RECOMENDADO

> Tecnicamente, o psicodrama e o trabalho com constelações sistêmicas não são psicoterapias. São filosofias complexas que estimulam mudanças profundas nos seres humanos e nos grupos humanos. No entanto, cada um foi identificado principalmente como um método de cura e adotado por profissionais de ajuda e cura, especialmente terapeutas familiares e de grupo, embora cada um ofereça um enorme valor em ambientes não psicoterapêuticos, como empresas, educação, medicina, construção de comunidades e desenvolvimento organizacional. Ambos são baseados na primazia da experiência do aqui-e-agora em vez da fala e da análise, que têm sido o foco de longa data das terapias cognitivo-comportamentais tradicionais. (Carnabucci & Anderson, 2012, p. 15)

Autores de *Integrating Psychodrama and systemic constellation work: new directions for action methods, mind-body therapies and energy healing* [A integração do psicodrama e o trabalho sistêmico de constelações: novas diretrizes para os métodos de ação, terapias mente-corpo e energia curativa], os norte-americanos Karen Carnabucci e Ronald Anderson foram formados respectivamente por Zerka e por Moreno. Na realidade, o método apresentado por Carnabucci e Anderson como "uma forma de dinâmica de cura do século XXI" tem suas raízes no trabalho do alemão Bert Hellinger, nascido de uma família católica em 1925, sacerdote e missionário na África do Sul junto ao povo zulu, depois psicanalista em Viena, antes de viajar para os Estados Unidos "nos anos setenta, para estudar a terapia primal de Arthur Janov, o trabalho hipnótico de Milton Erickson, a terapia provocativa de Frank Farrelly, a Gestalt-terapia de Fritz Perls, e a análise transacional de Eric Berne" (p. 33).

Carnabucci e Anderson acreditam que Hellinger "deve ter-se familiarizado com o psicodrama" (p. 33-34), já que seu trabalho apresenta similaridades ao método desenvolvido por Moreno, mas a psicóloga alemã Gaby Breitenbach, em seu livro *Inside views from the dissociated worlds of extreme violence: human beings as merchandise* [Visões do interior dos mundos dissociados de extrema violência: os seres humanos como mercadoria], é mais explícita: "Ele adaptou técnicas como a escultura da família de David Kantor, baseado nas ideias do fundador do psicodrama, Jacob Levy Moreno, sem dar crédito aos criadores" (Breitenbach, 2015, p. 186).

Segundo Carnabucci e Anderson, o trabalho sistêmico de constelações começa tipicamente com um grupo, cujos membros "estão sentados em cadeiras dispostas num círculo com um espaço vazio no centro". O facilitador começa a atividade, explicam, dando por exemplo a oportunidade de cada pessoa dizer o que sente, e, quando um membro do grupo "chamado de 'o cliente'" é escolhido para abordar um tema pessoal, "é pedido a outros membros que representem as pessoas do sistema familiar intergeracional da pessoa ou qualidades abstratas, como uma enfermidade, o medo ou a vida" (Carnabucci & Anderson, 2012, p. 25). Assim que o cliente para atrás de cada representante, posiciona-o num lugar do círculo e retorna à sua cadeira para observar, os representantes são convidados a revelar o que lhes vêm à mente: "Há quietude, pois o facilitador aguarda a formação do campo energético com seus representantes sentindo-se em si e entre si". Ao contrário de uma sessão típica de psicodrama, no entanto, Carnabucci e Anderson observam que comentar ou compartilhar não é recomendado: "em vez disso, a comunidade mantém uma reverência silenciosa e gratidão pelo trabalho que acabou de ser concluído" (p. 26).

Além do entusiasmo manifesto dos dois autores pela abordagem de Bert Hellinger, "o sintetizador", tratado num plano tão favorável quanto o de Moreno, "o inovador", é útil a síntese que fazem sobre "novos desenvolvimentos e novos passos" ao fim de sua tentativa de integração dos dois métodos. Segundo eles, por exemplo,

> [...] o psicodrama tornou-se um método sofisticado, com técnicas adaptáveis para psicoterapias individuais e de grupo, e para várias abordagens psicológicas. Agora, a maioria dos profissionais encurtou a duração das sessões para uso num ambiente moderno, e os terapeutas cognitivo-comportamentais escolhem e optam entre as várias técnicas, que combinam com suas sessões de terapia de conversa. (Carnabucci & Anderson, 2012, p. 166)

INOVAÇÕES: MORENO, SOBRE AS CULTURAS LATINAS, E O EXEMPLO DO BRASIL

Entre as inovações, Carnabucci e Anderson mencionam o bibliodrama de Peter Pitzele, que propõe dramatizações a partir de textos bíblicos; o *Therapeutic Spiral Model* [Modelo Espiral Terapêutico] de Kate Hudgins, para tratar sobretudo transtornos de estresse pós-traumático; e as combinações de psicodrama com vários sistemas de trabalho corporal, desenvolvidas por Susan Aaron, Georgia Rigg e Rebecca Ridge. Além disso, ainda que sem nomeá-los, os dois autores se referem a outros profissionais que incorporam "elementos de bioenergética, dramaterapia, musicoterapia, poesia, caixa de areia, exercícios de respiração, dessensibilização e reprocessamento por meio de movimento ocular [EMDR, na sigla em inglês]", entre outros. Já Connie Miller é citada por seu *Souldrama,* desenvolvido para "grupos de crescimento espiritual", enquanto Nancy Razza e Daniel Tomasulo são mencionados por adaptar o psicodrama para pessoas com deficiência a um "modelo interativo de terapia comportamental" (p. 166).

Fora do âmbito terapêutico, Carnabucci e Anderson destacam o uso do psicodrama em áreas como orientação ("coaching"), desenvolvimento de liderança, ação social e comunitária, teatro e formação médica. Citam também profissionais que documentaram ou trabalharam psicodramaticamente: (1) na área do direito, Martin Haskell, Lewis Yablonsky, James Leach, John Nolte, Joane Garcia-Colson, Fredilyn Sison e Mary Peckham; (2) na justiça criminal, Dale Buchanan e Janet Hankins e, na formação da polícia, Buchanan e Pati Chasnoff; e, (3) nos negócios, Raymond Corsini, Malcolm Shaw e Robert Blake. Antonina García e Patricia Sternberg são também mencionadas com seu livro *Sociodrama: who's in your shoes?* [Sociodrama: quem calça seus sapatos?], pela documentação de aplicações sociodramáticas "em gestão da formação, construção comunitária, educação, comunidade religiosa e contextos políticos" (p. 166).

Até no uso de miniaturas se verificaram propostas, afirmam Carnabucci e Anderson, referindo-se a Annie Rosenthal, Carlos Raimundo, John Barton e Steven Balmbra (p. 167). Enquanto Rosenthal desenvolveu um minipalco em madeira – na realidade, a réplica do palco de Beacon desenhado por Moreno – para fazer psicodrama com seus clientes, os demais utilizam as conhecidas figuras de Playmobil em suas propostas de variação psicodramática.

John Casson não figura entre os profissionais mencionados por Carnabucci e Anderson, mas é verdade que o saudoso terapeuta britânico também desenvolveu materiais – estruturas de policarbonato em cinco níveis, quadradas [*communicube*] ou redondas [*communiwell*] – para fins terapêuticos ou pedagógicos (Communicube, 2022). O professor japonês Kohei Matsumura tampouco é citado pelos dois autores, apesar de também ter utilizado miniaturas em seus psicodramas.

Por fim, Carnabucci e Anderson observam que "países que abraçaram a obra de Moreno a adaptaram segundo as circunstâncias sociais, culturais e políticas", dando o exemplo do que ilustra *Sambadrama: the arena of Brazilian psychodrama* [Sambadrama: a arena do psicodrama brasileiro], livro organizado pelo psicodramatista Zoli Figush, "que detalha o uso da arte, de genogramas e vídeos" (Carnabucci & Anderson, 2012, p. 167). Essa observação merece dois comentários. Primeiro, vale a pena recordar o que afirma Zerka Moreno sobre o tema, no original de seu último livro, *To dream again* [Sonhar de novo]:

> Quando me perguntam se nosso trabalho pode ser adaptado a outras culturas, respondo que sim, desde que se conheçam certos elementos essenciais do outro país e se respeitem as diferenças. Moreno sempre enfatizou a importância da formação de lideranças locais. Essa recomendação agora é seguida em muitas outras partes do mundo por uma série de bravos trabalhadores. (Z. T. Moreno, 2012, p. 671, original).

Mais adiante, na mesma obra, Zerka acrescenta:

> Questionada várias vezes se o psicodrama é aplicável a outras culturas, respondi que o sofrimento tem a mesma face em todos os lugares. É a maneira como o criamos, lidamos com ele e aprendemos a concordar, é isso o que é culturalmente determinante. Felizmente, o psicodrama está sendo aplicado em muitas culturas além da nossa. [...] Quero ver a difusão do psicodrama, não apenas como terapia, mas como um modo de vida, para tornar todas as vidas humanas mais significativas. (p. 783-784)

Em segundo lugar, vale lembrar o que o próprio Moreno escreveu no prólogo da primeira edição em espanhol de *Psicodrama*, publicada em Buenos Aires em 1961: "Os métodos psicodramáticos mostraram-se afins principalmente às culturas latinas; será muito interessante acompanhar o progresso criativo e as modificações que os colaboradores latinos farão nesse novo campo" (Moreno, 1961b, p. 14).

O Brasil é um dos países que passaram no teste da disseminação do psicodrama, se considerarmos o número de "mais de 5 mil psicodramatistas profissionais formados" (Cepeda & Martin, 2010, p. 161) e as 30 entidades atualmente vinculadas à Federação Brasileira de Psicodrama, distribuídas nas diversas regiões do território nacional.

MAIS DE 20 ANOS DE PSICODRAMA NA CULTURA CHINESA

Exatamente das antípodas do Brasil chegam mais evidências de novas modificações no método desenvolvido por Moreno. Trata-se do artigo "Practicing psychodrama in Chinese culture" [Praticando psicodrama na cultura chinesa], publicado em 2014 na revista *The Arts in Psychotherapy* [As artes na psicoterapia] por Nien-Hwa Lai e Hsin-Hao Tsai, docentes respectivamente do Departamento de Psicologia e Orientação, da Universidade Nacional de Educação, e do Instituto de Educação e Orientação para a Vida e para a Morte, da Universidade Nacional de Enfermagem e Ciências da Saúde, ambas de Taipei, Taiwan.

De acordo com as autoras, "o psicodrama ganhou popularidade rapidamente nas comunidades asiáticas na última década", e, com isso, "muitos workshops e programas de treinamento foram realizados com regularidade nas comunidades tradicionais chinesas", tanto em Taiwan e Cingapura como na Malásia e na China. Lai e Tsai afirmam que em Taiwan, por exemplo, "um dos primeiros lugares na Ásia a introduzir o psicodrama", o método está bem estabelecido em hospitais psiquiátricos, escolas e serviços comunitários, e "está florescendo em instituições correcionais e programas de assistência a funcionários". No entanto, observam, preocupações e questões foram levantadas "em relação à adaptabilidade do psicodrama para clientes chineses tradicionais", referindo-se, por exemplo, à preocupação do psiquiatra taiwanês CC Chen, publicada em 1984, de que "os valores chineses em torno da hierarquia social e da família podem causar dificuldade para os participantes revelarem confortavelmente questões pessoais diante de uma plateia de estranhos" (Lai & Tsai, 2014, p. 386).

As autoras consideram que estudos recentes já responderam parcialmente às questões colocadas, mas que devemos continuar a levar em conta, por exemplo, o fato de que nas escolas asiáticas "os alunos usam uniforme para mostrar conformidade com o grupo" e que, enquanto estão na sala de aula, "permanecem calados e tendem a seguir passivamente as instruções dos professores". Por outro lado, relatam, quando estão em família, "o grupo mais valioso de todos", o que é importante é "seguir as tradições familiares, atender às expectativas familiares e lutar pelos objetivos familiares". O que é recomendado, portanto, é que, ao trabalhar com clientes chineses, os objetivos e tratamentos incluam "uma perspectiva familiar ou social, ao invés de focar apenas nas necessidades individuais e na identidade pessoal (Chen, 2009; Hwang, 2006; Kwan, 2009; Sue e Sue, 2013)" (Lai & Tsai, 2014, p. 387).

Após apresentar cinco casos específicos de sessões de psicodrama – a psicóloga Nien-Hwa Lai relata ter acumulado mais de 20 anos de uso do psicodrama na cultura chinesa –, as autoras insistem, por exemplo, na "necessidade de um ritmo lento no trabalho na cultura chinesa", explicando que, "possivelmente influenciados pela forma suprimida e indireta de comunicação entre os chineses, os participantes dessa cultura, em atividades de grupo, tendem a se aquecer de forma mais lenta do que seus pares ocidentais" e que, além disso, "eles também são mais propensos a hesitar para atuar na presença de uma plateia" (p. 389).

Considerando que seus exemplos de prática psicodramática também fornecem respostas às preocupações dos primeiros psicodramatistas que trabalharam em comunidades chinesas, Lai e Tsai concluem que "uma aplicação apropriada de técnicas psicodramáticas pode quebrar barreiras culturais, como supressão emocional e sentimentos de perder prestígio ['lose face']". Para elas, finalmente, "na prática bem-sucedida de um psicodrama culturalmente competente, é essencial manter a sensibilidade às pistas não verbais e a flexibilidade para alternativas" (p. 389).

O que fica claro na experiência chinesa apresentada por Lai e Tsai é que o método e as técnicas psicodramáticas utilizadas seguem basicamente as prescrições de Moreno, já incorporando as contribuições posteriores de outros autores, sobretudo norte-americanos, como Adam Blatner, Tian Dayton, Carl Hollander e Kate Hudgins, bem como vários especialistas asiáticos em aspectos específicos da cultura chinesa.

POR ONDE ANDA O PSICODRAMA NA AMÉRICA LATINA: A ARGENTINA E O BRASIL

Na realidade, apesar do grande número de modificações descritas neste capítulo de forma não exaustiva, a percepção pessoal que permanece até o momento – a ser confirmada ou corrigida por futuras pesquisas – é a de que o chamado "psicodrama moreniano" continua sendo aplicado internacionalmente com seus componentes essenciais. Pelo que se nota na documentação consultada e em eventos como congressos, conferências e workshops praticados na América Latina, por exemplo, continuam quase sempre presentes os cinco instrumentos definidos por Moreno (palco, público, diretor, protagonista e egos auxiliares), pelo menos três de suas quatro etapas (aquecimento, dramatização, compartilhamento e, eventualmente, processamento), e várias das técnicas fundamentais propostas por ele (autoapresentação, inversão de papéis, duplo, espelho e solilóquio, sobretudo).

No caso da Argentina, é provável que a influência dos autores franceses anteriormente mencionados tenha contribuído para a prática disseminada do "psicodrama analítico" ao lado do "psicodrama moreniano"; mesmo assim, as modificações não parecem colocar em risco os fundamentos do psicodrama como método. A título ilustrativo, vale a pena destacar inovações argentinas como a "multiplicação dramática" (Kesselman & Pavlovsky, 1996), desenvolvida por Luis Frydlevsky, Eduardo Pavlovsky e Hernán Kesselman a partir de 1975, assim como a "ballenoterapia" [terapia da baleia], proposta e praticada por Mónica Zuretti desde 1999. A primeira modalidade trata basicamente de que uma cena apresentada por um protagonista inspire posteriormente a criação sucessiva de outras cenas pelos demais participantes do grupo. Já a segunda busca integrar a experiência de avistamento de baleias e a realização de sessões psicodramáticas em grupo com fins terapêuticos, como Zuretti explica em seu artigo "Psychodrama in the presence of whales" [Psicodrama na presença das baleias], publicado na *Revista Britânica de Psicodrama e Sociodrama* (Zuretti, 2007, p. 19-32).

Já no caso do Brasil, as variações que continuam sendo introduzidas e praticadas dão conta de uma diversidade tal que mereceriam pelo menos um trabalho de pesquisa e de documentação à parte. Ainda assim, de maneira não exaustiva, e antes de mencionar brevemente contribuições psicodramáticas individuais, é importante ressaltar pelo menos os seguintes pontos gerais, relativos ao psicodrama nacional.

Ao contrário do que acontece na Argentina, onde o movimento psicodramático continua se manifestando de forma fragmentada, com diferentes tendências ainda desarticuladas nacionalmente, o movimento brasileiro consegue manter certa organicidade graças ao papel desempenhado, desde 1976, pela Federação Brasileira de Psicodrama (Febrap).

Um dos aspectos responsáveis pela relativa harmonia observada nesse âmbito tem a ver com a ênfase dada pela Febrap a organizar tanto a conceituação quanto a formação de psicodramatistas de acordo com a visão formulada por Jacob Levy Moreno em sua obra-mestra *Who shall survive? Foundations of sociometry, group psychotherapy and sociodrama* [Quem sobreviverá? Fundamentos da sociometria, psicoterapia de grupo e sociodrama]. Nessa obra, Moreno havia proposto um esquema conceitual privilegiando a socionomia como "uma ciência que se preocupa com as propriedades psicológicas das populações e com os problemas comunais que essas propriedades produzem" (Moreno, 1934, p. 10).

Fiel às ideias do criador do psicodrama moderno, a Febrap continua atribuindo a esse conceito um papel central na teoria psicodramática. Num texto recente publicado em seu *site*, lê-se, por exemplo, que "o Psicodrama é uma parte de uma construção muito mais ampla, criada por Jacob Levy Moreno, a Socionomia". E mais: "Na verdade, a denominação da parte foi estendida para o todo e, quando as pessoas usam o termo Psicodrama, estão, geralmente, se referindo à Socionomia".

Essa visão conceitual corresponde realmente às formulações de Moreno em 1934, na primeira edição de sua obra-mestra. A essa altura, aliás, o psicodrama nem sequer havia ganhado espaço na literatura especializada, o que só iria ocorrer três anos depois. Foi apenas no primeiro número da revista *Sociometry*, lançada no segundo semestre de 1937, que Moreno apresentou o psicodrama, mas sem qualquer menção à socionomia.

Já na segunda edição de *Who shall survive?*, publicada em 1953, o termo socionomia desapareceu por completo, não sendo tampouco retomado na terceira, póstuma, publicada em 1978. Parece claro que Moreno havia abandonado a ideia de desenvolver tal "ciência", preferindo dedicar diretamente maior atenção tanto ao psicodrama quanto à sociometria. Em seu livro *Psicoterapia de grupo e psicodrama*, aliás, escrito em alemão, Moreno já reconhecia que, mesmo sendo a socionomia "o conceito geral do sistema", o que predominou "historicamente" foi o "sociométrico" (Moreno, 1974a, p. 39). A sugestão é de um trabalho a ser desenvolvido no plano teórico, no sentido de atualizar a conceituação utilizada pela federação, para evitar complicações desnecessárias.

Outro elemento crítico que vale a pena ser levado em conta no movimento psicodramático brasileiro está relacionado com a tendência à concentração dos enfoques no âmbito da psicologia. É provável que ela decorra de uma predominância de profissionais dessa área no movimento psicodramático, mas não se pode ignorar a natureza multidisciplinar que caracteriza a proposta de Moreno desde o início da publicação de *Sociometry*. Já no primeiro número ele deixa clara sua posição, que se aplica não apenas ao psicodrama e à sociometria, mas é um objetivo de integração das ciências sociais. Em *Moreno, o Mestre*, abordando o período histórico que o leva a abrir o sanatório e seu teatro de psicodrama em Beacon, eu já insistia nesse ponto central à visão moreniana, mas é oportuno retomar em seus próprios termos um propósito que ele manterá por toda a vida. Trata-se da nova revista, que, segundo Moreno,

> [...] é uma das muitas tentativas de reunir pesquisadores da área das relações interpessoais, para permitir que o biólogo do humano receba a luz do etnólogo sobre seus problemas, para orientar o sociólogo na compreensão das peculiaridades biológicas dos grupos humanos, para que o psicólogo consiga ver a interação de fatos econômicos, geográficos e políticos na configuração do desenvolvimento pessoal do ser humano individual.
>
> Talvez, acima de tudo, a tarefa principal seja ver a contribuição das artes, bem como das ciências, para a compreensão da natureza humana; a ampliação do reconhecimento de que o homem é acessível, não apenas a partir da avenida da bioquímica e da genética, mas da avenida da linguística comparativa, da mitologia, da religião e da história das artes e das ciências. Isso é, pelo menos, nosso ideal, nosso propósito declarado. Obviamente, não alcançaremos essa integração global, mas esse é o objetivo para o qual nossas contribuições desejam apontar. (Moreno, 1937, p. 6)

A insistência em privilegiar o âmbito psicológico na aplicação do método psicodramático leva, muitas vezes, a ignorar as demais dimensões que o próprio Moreno considerava ao desenvolvê-lo. Não por acaso, esse viés psicológico explica sem dúvida a tendência a aplicar o psicodrama isolando-o de sua dimensão sociodramática, como se fosse possível separar os elementos individuais, privados, dos componentes coletivos dos diferentes papéis.

Aliás, é também essa separação entre psicodrama e sociodrama que explica as dificuldades encontradas por muitos profissionais em praticar o método do ponto de vista sociodramático, como se este último se limitasse a aspectos "socioeducativos". Ora, essa dicotomia demonstra não apenas que a dinâmica dos fenômenos sociais está sendo cortada, mas que o pensamento do próprio Moreno a respeito da unidade do "sociopsicodrama" vai sendo lamentavelmente abandonado. Basta retomar sua própria explicação a respeito – reproduzida em *Moreno, o Mestre,* cap. 16 – para que se perceba um claro desvio na aplicação do método. Sua visão sobre psicodrama como fenômeno único, ainda que variado, fica aqui patente:

> A abordagem grupal no psicodrama lida com problemas "privados", por maior que seja o número de indivíduos que possam constituir o público. Mas assim que os indivíduos são tratados como representantes coletivos dos papéis da comunidade e das relações de papéis, e não por seus papéis particulares e por seus relacionamentos particulares, o psicodrama se torna um "sociopsicodrama" ou, mais brevemente, um sociodrama. Este último abriu novos caminhos para a análise e o tratamento dos problemas sociais. (Moreno, 1977, p. 325)

Não por acaso, a médica argentina Mónica Zuretti – uma das últimas a terem tido a oportunidade de completar sua formação psicodramática ainda com os dois Moreno (J. L. e Zerka) – continua praticando psicodrama em sua dimensão sociopsicodramática, o que implica, numa mesma sessão, alternar por exemplo entre a dramatização de papéis privados e coletivos.

Voltando ao contexto brasileiro, outro aspecto que merece atenção está relacionado com a *Revista Brasileira de Psicodrama*, órgão oficial da Febrap, que vem sendo editada regularmente desde 1994 e que, a partir de 2013, passou a ser publicada apenas em formato eletrônico. Não se trata, evidentemente, de questionar a importância desse veículo na divulgação de artigos originais, materiais de reflexão e documentos de apoio ao movimento psicodramático brasileiro. O que vale a pena ressaltar é o foco editorial centrado no caráter científico da publicação, explicitamente definida no *site* da Federação como "revista científica". Por mais que se considerem fundamentais as contribuições produzidas no âmbito das chamadas ciências humanas (psicologia, sociologia, antropologia ou áreas afins), não menos fundamentais são as produções artísticas, seja no campo da literatura em prosa ou verso, do teatro e demais linguagens consideradas auxiliares ao método psicodramático.

Tendo em vista a própria história do psicodrama moderno vivida e documentada por Moreno, na qual têm precedência as atividades criativas – expressas tanto em jogos de papéis com crianças quanto em poemas publicados pelo próprio Jacob Levy ao inaugurar sua obra literária em 1914 –, equilibrar espaços editoriais entre a dimensão científica e a produção artística refletirá sem dúvida com melhor justeza a essência do método psicodramático. Afinal, como escreveu Zerka T. Moreno em *Psychodrama, surplus reality and the art of healing* (publicado incrivelmente em português sem a primeira palavra-chave, ou seja, como *A realidade suplementar e a arte de curar*), "Psicodrama é ao mesmo tempo ciência e arte" (Z. T. Moreno, 2001, p. 26).

Uma última observação crítica sobre um dos fatores que, a meu ver, têm dificultado a difusão do psicodrama no país: a formação de psicodramatistas exigindo, como pré-requisito, diploma de nível superior. Há casos de pessoas que chegam a estar décadas envolvidas com tarefas diretamente ligadas a atividades psicodramáticas, desempenhando tarefas auxiliares e demonstrando interesse e conhecimento com relação ao método, sem que tenham a oportunidade de fazer os cursos oferecidos, por não disporem de formação universitária.

Não se trata, aliás, de decisão acadêmica apenas brasileira. Também na Argentina, por exemplo, programas de atualização e especialização em psicodrama costumam exigir diploma de graduação. Em certos casos, chega-se a limitar a inscrição a graduados em psicologia e medicina. Esse tipo de restrição não apenas contraria o espírito inclusivo que sempre caracterizou a capacitação proporcionada desde o princípio pelos Moreno, mas também contribui para a crescente setorização de uma área que, como já discutido, é de natureza multidisciplinar.

Basta mencionar o que o próprio Moreno afirma na introdução à sua *Autobiografia de um gênio*, finalmente publicada em 2019. Ao fazer um paralelo entre as possibilidades oferecidas pelo teatro e o psicodrama, no sentido de que a prática de papéis passe a ser real e visível ao mundo, ele comenta: "Mas o que o teatro faz para alguns atores, o psicodrama pode fazer para todos os homens" (p. 12). Posta à parte a questão do gênero – compreensível para a época em que o texto foi redigido (anos 1970) –, e por mais utópicas que as intenções de Moreno de envolver a humanidade inteira possam parecer, é evidente seu propósito de fazer o possível para que o maior número de gente possa ter acesso à proposta psicodramática.

Quanto maior abertura houver, no sentido de democratizar a prática do método e evitar sua elitização, melhor. A necessidade de condicionar a formação de quadros à capacitação no nível superior, a meu ver, merece ser rediscutida. Caso emblemático, aliás, é o da própria Zerka, cuja formação técnica era a de desenhista de moda.

NO BRASIL, PSICODRAMA E "CONSCIÊNCIA NACIONAL": A VISÃO DE VIEIRA PINTO

Antes de passar rapidamente em revista algumas das modificações do método psicodramático promovidas no Brasil, cabe esclarecer alguns aspectos fundamentais a serem considerados quando se trata de compreender a história do psicodrama. No já citado *Moreno, o Mestre: origem e desenvolvimento do psicodrama como método de mudança psicossocial*, limitei o alcance da pesquisa ao período moderno, abrangendo apenas os séculos XIX e XX.

Já neste volume, ampliei a perspectiva, incluindo as raízes do processo histórico a partir dos gregos, tanto no que diz respeito ao fenômeno da improvisação quanto à evolução do teatro terapêutico. Mesmo não pretendendo nem de longe esgotar o riquíssimo acervo acumulado durante séculos – aproveitado sobretudo por Moreno para formular novas ideias teológicas e filosóficas e novos métodos e técnicas de ação –, penso ter demonstrado que esses recursos criativos não surgem do nada, nem apenas da mente genial do criador. Resultam de experiências concretas, vividas em contextos específicos, que procurei desvendar, tanto no antigo como no novo Continente.

O próprio Moreno foi construindo suas contribuições de maneira gradativa, priorizando os encontros e, a partir deles e de uma contínua reflexão a respeito, as experiências de grupo e as formulações escritas. Inicialmente, foram textos de caráter poético e em seguida em prosa, tanto na forma de textos teatrais, ficcionais, quanto na de ensaios, muitas vezes anônimos e sempre em alemão.

Muitas formulações conceituais, germinadas na Europa, acabaram sendo por ele desenvolvidas apenas no continente americano, num movimento constante de formular, retomar, reformular, testar na prática, retestar, propor em rascunho, reescrever, e assim sucessivamente, disposto sempre a reconsiderar ou a reconfirmar, e passando pelo crivo concreto de sua própria espontaneidade criativa, até a fase final da vida, quando chegou a abandonar o inglês, retomando exclusivamente o idioma alemão.

No caso brasileiro, é possível observar certa lentidão no processo de modificações técnicas que vão sendo introduzidas no movimento psicodramático. Entre as explicações sobre o fenômeno, uma delas seguramente se deve à dispersão dos documentos produzidos pela fonte primária que compõe o acervo do Instituto Moreno, catalogado entre as coleções do Centro da História da Medicina da Universidade de Harvard, em Boston. Para que se tenha uma ideia da reduzida frequência a esse acervo, basta mencionar que, ao começar a frequentar essa biblioteca, a partir de 2012, eu estava entre os apenas 20 visitantes que tinham tido acesso aos "papéis de J. L. Moreno". Essa documentação estava à disposição pública desde 1989, mas o número de pesquisadores interessados não chegava sequer a uma pessoa por ano.

A razão desses comentários prévios é a de insistir na importância de optar por uma das formas específicas de pensar a própria realidade e a evolução dos processos históricos no país. Como se trata de um exercício de evidente caráter filosófico, recorro a um dos eminentes profissionais brasileiros dessa área – apesar de não estar entre os mais conhecidos –, e que foi considerado pelo próprio educador Paulo Freire como seu mestre: Álvaro Vieira Pinto. É dele a obra que melhor aporta os elementos-chave para a compreensão dos fenômenos relativos à consciência aplicados ao projeto de desenvolvimento nacional, e extensivamente expostos nos dois volumes do seu já clássico *Consciência e realidade nacional.*

Importa muito observar que essa relação entre psicodrama e consciência é indispensável, uma vez que qualquer processo de mudança ocorrida por meio do método psicodramático implica necessariamente um "dar-se conta" de algo que antes da ação não havia sido percebido. Não há, portanto, como escapar da constatação desse fenômeno de tomada de consciência como pré-requisito para qualquer movimento de mudança psicossocial. O problema passa a ser detectar de que tipo de consciência se trata, e é aí que entra Vieira Pinto:

> Dada a infinidade de pontos de vista individuais possíveis sobre o mesmo real, não haveria modos de descrevê-los se, precisamente em razão dos supostos que todos têm, não estivessem forçados a se agrupar em reduzidos tipos e, em última análise, a se apresentar em duas modalidades extremas, que chamaremos de ingênua e de crítica. Num caso como noutro, a consciência é sempre um conjunto de representações, ideias, conceitos, organizados em estruturas suficientemente caracterizadas para se distinguirem tipos ou modalidades. Contudo, uma distinção fundamental se impõe: é preciso distinguir entre conteúdos da consciência e percepção, por ela própria, do condicionamento desses conteúdos. Criam-se, por este efeito, dois tipos radicalmente divergentes, sendo um aquele que apenas reflete sobre o mundo das suas ideias, o investiga, enriquece pela observação, pelo estudo, pela meditação, mas não inclui entre essas ideias a representação dos fatores objetivos de que elas dependem, ou mesmo nega enfaticamente tal dependência. Outro tipo será aquele que conhece a existência do necessário condicionamento das ideias que possui, busca relacioná-las aos seus suportes reais e, sem deixar de organizar logicamente a sua compreensão, não exclui a referência obrigatória a um fundamento na objetividade. (Vieira Pinto, 2020, p. 25)

Seria pretensioso demais querer explicar em poucos parágrafos sendo que esse filósofo precisou de dois extensos volumes para caracterizar tanto a consciência ingênua quanto a crítica. Cabe, porém, pelo menos apontar outra afirmação significativa dele: a de que "não há consciência privilegiada", ou seja, "que todo fundamento, em qualquer condição de existência, pode dar origem a uma forma de pensar autêntica, para tanto lhe bastando reconhecer os motivos que a determinam" (p. 26).

Com tal afirmação, sustenta Vieira Pinto, "desejamos excluir o princípio do aristocratismo, que atribuiria *a priori* a certas personalidades o monopólio da verdade". Não há como deixar de associar essa crítica a atitudes aristocráticas com a reiterada posição igualitária defendida por Moreno entre as pessoas envolvidas por meio dos métodos psicodramáticos (esse último plural é do psiquiatra). "Ao dizermos que não há ponto de vista preferencial", agrega o filósofo, "estamos afirmando que de qualquer ponto do espaço social é possível alcançar a consciência crítica da realidade" (p. 26-27).

O apelo a Álvaro Vieira Pinto não para por aqui. Uma das noções básicas do que ele define entre as características da consciência crítica é o que chama de "historicidade":

> O pensar ingênuo, sempre disposto a conservar o antigo, procede à interpretação do atual ou do emergente em função do passado; o pensar crítico, ao contrário, procura nas ocorrências de que é testemunha a fonte das ideias de que se servirá para compreendê-las. E não só não julga possuí-las de antemão, como não afirma que o método para alcançá-las seja sempre o mesmo. O processo, no seu movimento real, deve condicionar o método que, em cada período, permite formar as ideias necessárias a compreendê-lo. Como proposição constantemente válida há apenas esta, de ordem metalógica, suprametodológica: a de que o método é variável; aquele que se mostrou útil no passado nem por isso tem assegurada a vigência futura. (Vieira Pinto, 2020a, p. 34-35)

Aplicado ao psicodrama, esse raciocínio implica que estejamos abertos a modificações tanto no método quanto nas técnicas, em função de diferentes experiências que vão sendo feitas não só por profissionais experientes, mas também por novos profissionais que se incorporam ao movimento psicodramático, e ainda com base em novas leituras das fontes primárias (sobretudo dos Morenos) que são realizadas. Admitir a validade das novas propostas é fundamental para que não caiamos na contradição de transformar em "conserva cultural" um método que se propõe justamente a desenvolver a espontaneidade, a criatividade e a curiosidade das pessoas.

Dois exemplos concretos ilustram a conveniência de uma atitude aberta às mudanças. O primeiro está relacionado com a incorporação sistemática da quarta etapa do processo psicodramático, isto é, a inclusão do processamento na prática profissional. A propósito, já tive a oportunidade de defender essa inclusão em diversas ocasiões, inclusive ao final do XIII Congresso Iberoamericano de Psicodrama, realizado digitalmente em 2021 a partir de Montevidéu, Uruguai. Ao constatar que esse evento terminava sem qualquer oportunidade para que seus participantes processassem o vivido, ainda que sinteticamente, apresentei então, de forma pública, os seguintes argumentos, que resumo aqui:

> É verdade que, quando Moreno pediu a Zerka que escrevesse um texto sintético sobre psicodrama, ela registrou, em 1965, que "as sessões de psicodrama consistem em três partes: o aquecimento, a dramatização e o compartilhamento do grupo após a dramatização" (regra XII). De fato, esse artigo foi incluído no terceiro volume do Psicodrama, conhecido em espanhol como "Terapía de acción y principios de su práctica". No entanto, sabemos que isso tudo não foi gravado em pedra. Quem esteve em Beacon com certeza conseguia participar, ao final do dia, das sessões de processamento na casa dos Moreno, com a presença do próprio médico, mesmo quando já idoso.
> Por outro lado, já na década de 1970, trabalhando na Unesco, percebi a importância da chamada "educação ao longo da vida", "educação continuada" ou "formação permanente". Além disso, vale a pena ter em conta que a prática do processamento também permite evitar o uso indevido da terceira etapa – o compartilhamento – para análises, discussões e reflexões de caráter racional. (Comunicação oral via internet, 8 de maio de 2021)

Também é fato que os Congressos Brasileiros de Psicodrama organizados pela Febrap já preveem o processamento entre as etapas das chamadas vivências psicodramáticas, "incluindo os principais pontos técnicos e teóricos utilizados durante a intervenção", conforme "Orientação aos autores" – publicada, por exemplo, pela Comissão Científica do 22º Congresso, realizado por via digital em 2020, e retomada em 2022.

Um segundo exemplo de modificações possíveis tem a ver com uma variação da técnica do "duplo", ainda pouco conhecida e praticada, apesar de ter sido mencionada pelo próprio Moreno em agosto de 1966, na abertura do segundo Congresso Internacional de Psicodrama em Barcelona. Trata-se do "duplo contrário", já contextualizada no capítulo 2. Ou seja, segundo ele, enquanto o "duplo amoroso estabelece a identidade com o protagonista", o "duplo contrário tenta estabelecer a identidade por meio da contrariedade e da hostilidade" (Moreno, 1967, p. 21). Mais de cinquenta anos depois, são raras as ocasiões em que se observa o uso dessa variante técnica.

Este último exemplo, aliás, esconde outra dificuldade que muitas vezes nos impede de compreender o modo de pensar do próprio Moreno, quando tomado por uma lógica formal, positivista. Também aí, é útil buscar uma explicação no filósofo Álvaro Vieira Pinto, que propõe outra característica da consciência crítica, desta vez categorizada por ele como "racionalidade". Depois de afirmar que "são as leis da realidade, que, transportadas para o pensamento, se tornam leis do julgamento lógico" (2020a, p. 73), Vieira Pinto observa:

> Destas, a mais importante é a que conserva na ordem conceitual a mobilidade real dos fatos e dos objetos. O conceito deixa de ser representação ideal imóvel, o que conduziria à ilusão das verdades e valores eternos, para se mediatizar com o seu oposto, passando assim a formar novo conceito, onde se sintetizam os contrários dos momentos anteriores. [...] Assim sendo, na totalidade do conceito agora pensado acha-se incluída uma dualidade de sentidos, uma contradição, porém em forma de unidade onde se identificam esses aspectos opostos. (p. 73)

Logo adiante, o filósofo comenta: "a visão dialética mostra a contradição instalada no âmago do pensamento, no interior da ideia, não porque resulte de confusão intelectual, mas precisamente porque reflete com plena verdade a mobilidade autêntica do real" (p. 73). Não há como deixar de pensar no próprio Moreno como alguém que não apenas vivia intensamente suas contradições de maneira dialética, mas que havia incorporado essa lógica à sua própria produção literária. Bastaria mencionar, a esse respeito, "o caráter dialético da sociometria", que Moreno utiliza como título de uma das seções de *Who shall survive?* sua obra-mestra, em que ele procura analisar justamente a "atitude dialética do pesquisador sociométrico" (Moreno, 1978, p. 110). Quer outro exemplo? A ideia de "ambivalência da escolha" exposta por Moreno, sempre na sociometria (p. 709). Como diz Vieira Pinto,

> Este modo de pensar afasta o espírito das posturas dogmáticas, as quais têm por fundamento a crença de que as ideias são como são em caráter definitivo, levando a ter do mundo uma visão substancialista e estática, sendo o movimento considerado acidente, ao qual, em princípio, o pensamento não é adequado, pois seu domínio natural é o imóvel, o eterno. Enquanto esta fórmula é paralisante e convida a ver o mundo sob as es-

> pécies da quietude e recusa da novidade, a concepção dialética não apenas está apta a produzir a verdadeira lógica, mas ao mesmo tempo estimula a inteligência a considerar os acontecimentos não na essência imóvel das coisas, mas na fluência com que se sucedem. Este é o ponto que mais nos interessa destacar. A racionalidade da consciência crítica consiste no nexo interno com que os acontecimentos se ligam uns aos outros, na razão imanente que determina o declínio de todo aspecto atual da realidade, e sua necessária substituição por outro, contrário a ele, e cuja presença desde já se afirma pelo simples fato de que o atual não é permanente. (Vieira Pinto, 2020a, p. 74)

Antes de terminar com este breve exercício de iluminação distinta da obra de Moreno tendo como convidado o filósofo Vieira Pinto, cabe ainda aplicar outra categoria do pensar crítico desenvolvida por esse pensador brasileiro. Trata-se da ideia de "totalidade". Ou seja, explica ele, "o pensamento crítico descobre a conexão de todo objeto ou fenômeno singular a uma totalidade, de que é parte, e percebe não ser lícito considerá-lo fora da constante relação a essa totalidade". Enquanto isso, comenta Vieira Pinto, referindo-se à consciência ingênua, "o entendimento primário recorta no real o aspecto que no momento lhe interessa, e, mesmo quando conserve vaga menção do conjunto a que tal aspecto pertence, não leva em conta a natureza do todo, mas procura sempre isolar para melhor conhecer".

Não há dúvida de que a lógica desenvolvida por Moreno se enquadra perfeitamente nessa categoria. Basta citar, por exemplo, um de seus postulados mais conhecidos, com o qual tem início sua obra magna: "Um procedimento verdadeiramente terapêutico deve ter como objetivo toda espécie humana. Nenhuma terapia adequada, porém, pode ser indicada, enquanto a espécie humana não for, de alguma forma, una e enquanto sua organização permanecer desconhecida" (Moreno, 1992, p. 117).

Para sair um pouco desse terreno batido, ou seja, de uma citação já usada à exaustão, vale a pena retomar o comentário feito por Moreno em sua autobiografia, a respeito do famoso conflito que ele teve em Viena, em 1924, com o diretor da exposição internacional de técnicas teatrais, Friedrich Kiesler. É nessa ocasião que Moreno publica anonimamente *Rede vor dem Richter* [Discurso perante o juiz]. Ao observar que o objeto da controvérsia era um palco, o autor afirma que, "como esse palco simboliza um todo oculto, ninguém será capaz de descobri-lo, visualizá-lo ou exigi-lo, a menos que carregue a totalidade dentro de si". E mais: "Somente a partir daí pode ser alcançada a verdadeira posição. O impostor que oferece uma parte se torna um traidor, inclusive nisso. Somente do conjunto saem as partes. Somente da mãe pode sair a criança" (Moreno, 1974, p. 41. Ver também Guimarães, 2020, p. 180-181).

Por último, penso ser útil aproveitar esta visita intelectual de Vieira Pinto para mencionar outra categoria descrita por ele no âmbito da consciência crítica, e que pode nos ajudar a acompanhar as modificações promovidas por agentes do movimento psicodramático brasileiro: a nacionalidade. Como vimos páginas atrás, tanto o próprio Moreno como Zerka haviam ressaltado a importância das diferentes culturas, ele mesmo comentando que "será muito interessante acompanhar o progresso criativo e as modificações que os colaboradores latinos farão nesse novo campo" (Moreno, 1961b, p. 14).

Para Vieira Pinto, "o que a categoria de nacionalidade significa é que a consciência do mundo não pode ser individual. Ninguém vê a realidade como observador isolado e desinteressado" (2020a, p. 302-303), afirma o filósofo, que em seguida desenvolve seu raciocínio desta forma:

> O equívoco do pensador solitário, que as filosofias de qualidade apenas literária procuram converter em "drama de consciência", é acreditar que pode ter com o mundo relações íntimas, quando tais relações são necessariamente públicas. Somente como consequência da ilusão que valoriza a meditação eremítica, julga o pensador conhecer melhor a realidade quando abstrai do eco do pensar alheio no seu próprio interior, dedicando-se à vida contemplativa ou mesmo à ação isolada. O solipsismo de tal atitude o submerge num universo sem som, sem pontos de referência, sem diálogo, onde em breve o pouco que ainda houvesse de objetividade no seu pensamento se esvai no mundo de fantasias onde passa a viver. (2020a, p. 303)

Depois de rebater essa ideia do pensamento como "produção monádica, oriundo de seres racionais unitários, independentes e incomunicáveis", Vieira Pinto insiste no pensar como "efeito social, produto do modo coletivo como um grupo humano se comporta em face das coisas no trabalho pelo qual se esforça por apropriar-se delas em seu benefício". Para ele, portanto, "todo pensamento é um dizer comum, donde a imprestabilidade e o desvario a que se condena o pensador que se dispõe a abandonar a comunidade, na quimérica presunção de assim conquistar condições de melhor e mais verídica meditação". Além do mais, agrega o filósofo, ao se enclausurar nas muralhas dos conventos, ou "reclinando-se nas nuvens da especulação pura", tal pensador solitário "estará traindo a função e a dignidade próprias do pensamento, impedindo-o de se tornar força transformadora das condições materiais da existência, com o fim de oferecer ao homem uma vida mais rica de bem-estar físico e de satisfação espiritual" (p. 303).

Diga-se de passagem, é nessa mesma linha de pensamento comunitário que se inscreve grande parte da produção do jovem Jacob Moreno Levy. Como contei em *Moreno, o Mestre*, trata-se do período que vai desde seu engajamento no grupo que desenvolveria a "religião do encontro", sob a influência do filósofo e amigo Chaim Kellmer, até a fase final de sua permanência na Europa, com a já mencionada querela judicial com Fred Kiesler e o respectivo *Discurso perante o juiz*, traduzido posteriormente ao inglês (1929) como *Speech before the judge on the doctrine of anonymity* [Discurso perante o juiz sobre a doutrina do anonimato].

Diferentemente do proposto Moreno, no entanto, que, a partir da experiência vivida em Chemnitz com a cena do Cristo em praça pública, passa a adotar, desde os 14 anos, uma perspectiva destinada a envolver a humanidade como um todo, Vieira Pinto pondera:

> Entretanto, a comunicação obrigatória que, estamos vendo, preciso ter com os outros homens não implica que tenha de reportar-me imediatamente à totalidade da espécie humana. Antes, ao contrário, a consciência da realidade exige, nas condições históricas atuais, o parcelamento necessário da comunicação, determinando que uma parte apenas dos homens forme em comum comigo aquilo que é a "nossa" consciência. Temos aí a raiz da "nacionalidade", como expressão mais geral do modo de ser da consciência. [...] Em virtude do caráter de historicidade, ficamos sabendo que o movimento da consciência não se faz abstratamente, mas em concreto, sobre suportes materiais. (p. 303-304)

Não se trata aqui de teorizar sobre a "nacionalidade" de forma abstrata, mas de situá-la em nossa condição brasileira. As modificações dos métodos, ocorridas e por ocorrer no movimento psicodramático, precisam levar em conta a cultura nacional, por mais complexa que essa realidade possa parecer. Nesse sentido, é importante, por um lado, que as propostas de psicodrama criativamente desenvolvidas estejam relacionadas com as manifestações culturais de nosso povo. Um bom exemplo concreto, como se verá a seguir, é o chamado tatadrama, cujas raízes se encontram na produção artesanal das mulheres do Crato, Ceará. Não por acaso, aliás, o psicodramatista Zoli Figush organizou *Sambadrama: the arena of Brazilian psychodrama* [Sambadrama: a arena do psicodrama brasileiro], reunindo uma série de contribuições psicodramáticas, práticas e teóricas que refletem a diversidade criativa dos métodos em âmbito nacional.

Não custa salientar, por outro lado, a importância de reconhecer uma dimensão política assumida pelo psicodrama, tanto em seus aspectos individuais/privados quanto sociais/coletivos. Afinal, apesar de isso nem sempre ficar claro junto àqueles que adotam as ideias e as propostas de Moreno, ele nunca escondeu sua opção política pela democracia. Mesmo antes de emigrar para os Estados Unidos, por exemplo, resolveu optar por esse país, em vez da União Soviética, entre outras razões porque preferiu "ser a parteira para um modo de vida incoerente, confuso e democrático do que o comissário de um mundo altamente organizado" (Moreno, 1992, p. 44).

Já no novo continente, são inúmeras as situações nas quais o desafio pela opção democrática aparece em várias de suas obras, começando pelo seu livro principal, *Who shall survive?* [Quem sobreviverá?], cuja edição de 1953 traz tanto resultados de um teste feito em 1931 com crianças de uma escola do Brooklyn, em Nova York, a respeito de "contrastes entre um padrão autoritário versus democrático" (p. LXXI) quanto os resultados de sua extensa pesquisa junto à conhecida comunidade de meninas adolescentes de Hudson, tratando de identificar nelas "métodos autoritários e democráticos de agrupamento" (p. 652-653).

De modo ainda mais explícito, no segmento intitulado "O caráter dialético da sociometria", Moreno não hesita em afirmar:

> A sociometria pode bem ser considerada a pedra angular da ciência da democracia, ainda não desenvolvida. O chamado processo democrático não é, realmente, democrático, enquanto as grandes esferas dos processos invisíveis descobertos pelos procedimentos sociométricos não forem

integradas ao esquema político da democracia, tornando-se parte deles. (Moreno, 1992, p. 212)

Também com relação ao psicodrama, é fácil identificar a subjacente proposta democrática do método. Um exemplo claro dessa atitude de Moreno pode ser encontrado, como já tive a oportunidade de demonstrar em *Moreno, o Mestre*, quando o psiquiatra apresenta, em agosto de 1946, a "técnica da entrevista invertida". Essa e outras indicações deixam "clara sua posição de horizontalidade ao lado dos participantes das sessões psicodramáticas" (Guimarães, 2020, p. 286). Usando as palavras de Moreno, "do ponto de vista do diretor, essa posição de entrevista tem a vantagem de que, quando ele chama um sujeito para se sentar ao lado dele para a entrevista, ambos estão no mesmo nível – são 'iguais'" (Moreno, 1977, p. 254).

A natureza democrática do método fica ainda mais evidente quando, veremos no próximo capítulo, trato de buscar pontos comuns entre o psiquiatra e o educador brasileiro Paulo Freire. Em meio aos aspectos mais claros de convergência entre eles são apontados justamente o objetivo fundamental de ambos de possibilitar, por um lado, a liberação das pessoas por meio da ação e da correspondente tomada de consciência e, por outro, a busca de uma crescente autonomia que permita aos indivíduos decidir por conta própria a respeito de sua própria vida. Em ambos, estamos diante de propósitos eminentemente políticos que, formulados em campos profissionais diferentes – um no âmbito da saúde, outro no da educação –, convergem para a construção de relações menos opressoras, mais humanas e mais democráticas.

No trato dessa dimensão política, vale a pena destacar as reflexões de 12 profissionais expostas em *Por uma vida espontânea e criativa: psicodrama e política* (2020). Na realidade são 13, porque há que contar também a prefaciadora, Maria Cristina Gonçalves Vicentin. Psicóloga e professora, com seu texto breve, ela não vai por meias palavras quanto às pistas desenhadas pelos ensaístas: "*é necessário que se desdobrem numa Política com P maiúsculo, caso contrário ficamos num barco com um potente motor, porém sem direção, consistência nem consequências*" (Vicentin, 2020, p. 13, itálicos no original).

MODIFICAÇÕES BRASILEIRAS DO MÉTODO PSICODRAMÁTICO: QUAIS? QUANTAS?

Com relação às modificações ao método psicodramático promovidas pelo Brasil afora, ainda que não haja aqui nenhuma intenção de identificar exaustivamente as propostas que introduzem variações do que havia sido formulado por Moreno e sistematizado por Zerka, cabe destacar pelo menos os seguintes desenvolvimentos. Parte deles, aliás, já foi documentada em audiovisual e publicada progressivamente num canal do YouTube aberto por mim em 2011 (https://www.youtube.com/user/sguimaraes100).

O que apresento a seguir são sinopses das abordagens psicodramáticas e os respectivos materiais, na razão de um dos mais representativos da contribuição de cada profissional. A ordem em que aparecem não corresponde a nenhum valor hierárquico, mas apenas à sequência cronológica em que esses trabalhos foram registrados. Cada *link* permite acesso imediato ao material mencionado.

1. A psicopedagoga Marisa Nogueira Greeb foi uma das primeiras participantes a frequentar o curso ministrado pela equipe de psicodramatistas vindos da Argentina, e já em 1971 fundou em São Paulo a primeira escola dedicada à formação em psicodrama, Role Playing – Pesquisa e Aplicação. Durante anos, Marisa teve como como sócia a professora argentina María Alicia Romaña, principal responsável latino-americana pelo desenvolvimento do chamado "psicodrama pedagógico". O vídeo indicado permite esboçar uma síntese do trabalho dessa pioneira, mais voltada para a ação e a formação do que para a sistematização documental de mais de quatro décadas no campo do sociopsicodrama brasileiro. Entre os feitos de Marisa, destaca-se a coordenação exitosa do Psicodrama da Cidade, evento público realizado na capital paulista em 2001.

   Marisa, Moreno: psicodrama ou sociodrama? (2016). A cidadã brasileira Marisa Greeb fala da sociatria, um dos sonhos do dr. Moreno – criador do psicodrama e do sociodrama – por uma sociedade saudável. A psicodramatista conta como tem conseguido sair do foco restrito a problemas individuais e pequenos grupos, para levar o sociopsicodrama às praças. Aí entra o Psicodrama da Cidade, evento único realizado em 160 pontos da capital paulista em 2001, e que inspirou iniciativas em muitos cantos do mundo, incluindo a Croácia. https://youtu.be/QAfFITSnGsE

2. No caso do psiquiatra e psicodramatista José Fonseca, não se trata apenas de alguém que terá contribuído para a evolução do psicodrama como método, mas de um dos principais construtores do movimento no país. A ele se deve boa parte dos esforços para organizar e estruturar o que, a partir de 1976, veio a constituir a Federação Brasileira de Psicodrama (Febrap). No plano intelectual, suas contribuições envolvem desde o trabalho comparativo entre as ideias de Martin Buber e as de Moreno, até o desenho de uma psicologia relacional, objeto de seu último livro, *Essência e personalidade* (2018). No plano operativo, Fonseca atua a partir do Daimon – Centro de Estudos do Relacionamento, fundado por ele, conciliando desde os anos 1980 atividades de escola livre, sessões abertas de psicoterapia, grupos de estudos, editora e clínica.

   Surfando na espontaneidade: um encontro com José Fonseca (2018). A partir do espaço físico onde trabalha desde os anos 1980 em São Paulo, o experiente psiquiatra brasileiro José Fonseca conta como o psicodrama entrou na sua vida. Nessa história entram também, por exemplo, sua passagem pelo Instituto Moreno, em Beacon, Nova York, e dois de seus livros, incluindo o último. E algo mais, claro. https://youtu.be/vFfmSoWuf60

3. O nome de Antonio Carlos Cesarino figura entre os pioneiros do psicodrama no Brasil, mas não é apenas por essa razão que suas contribuições para o movimento merecem ser destacadas. Como psiquiatra e formado inicialmente na escola psicanalítica, Cesarino passa a assumir posições cada vez mais críticas com relação a essa área. Ao descobrir o psicodrama, a partir de 1961, ele vai pondo em prática sua opção pelo método como processo coletivo, defendendo sempre atitudes abertas, de modo que qualquer pessoa interessada pudesse participar. Essa posição constante sem dúvida demonstra sua aproximação inequívoca ao espírito que o próprio Moreno recomendava para o método psicodramático, nem sempre compatível com a prática

do psicodrama clínico. Tais ideias aparecem claramente nos dois vídeos que documentam de maneira sumária a trajetória de Cesarino. Um deles:

Cesarino e o psicodrama no Brasil, anos 1960: "Era tudo muito mágico" (2019). Com seus mais de 50 anos de experiência como médico psiquiatra e psicodramatista, Antonio Carlos Cesarino conta como era a psiquiatria oficial na época: "careta", muito conservadora: "Apenas se trabalhava com medicação". Já a chegada do psicodrama a São Paulo trouxe muita efervescência, curiosidade e trabalho: "Foi a primeira vez que eu vi psicoterapia à vontade, alegre, engraçada", em contraposição a "um modelo sisudo, pesado, triste, fechado, individual" então dominante. Infelizmente, comenta, com relação aos tempos atuais, "a procura por grupos caiu muito". https://youtu.be/Ck2RfcZr9AY

4. São várias as funções que a psicóloga Júlia Maria Casulari Motta tem ocupado no âmbito do psicodrama, mas sua principal tarefa parece ter sido a de ir coletando e divulgando elementos para uma história do movimento psicodramático brasileiro. Pelo menos essa é a tônica dada nos diversos vídeos gravados – entre os quais os três seguintes – sobre esse indispensável trabalho de reconstituição da memória nacional. A própria Júlia, aliás, em seu capítulo sobre o "Estado da arte na Ação dramática" – parte do livro coletivo *Psicodrama: ciência e arte*, coorganizado por ela e Luiz Falivene Alves –, sublinha a importância do trabalho do/a pesquisador/a, demonstrando como se entrelaçam "as questões políticas e da pesquisa, como articulação estreita entre a produção do conhecimento e a prática cidadã da busca da verdade por meio da ação" (Motta, 2011, p. 91).

Júlia Motta, conte a história do psicodrama no Brasil (2019). Pouca gente sabe: já nos anos 1940, Guerreiro Ramos, um sociólogo baiano, negro, fez os primeiros psicodramas no Brasil. Neste vídeo, a psicóloga Júlia Motta conta o essencial da história desse método, criado por Jacob Levy Moreno, em território brasileiro: os primeiros cursos em Belo Horizonte, por exemplo, ainda nos anos 1950; os grupos formados em São Paulo a partir da década de 1960; e por aí vai. https://youtu.be/yUrap78mktk

5. O psiquiatra Sérgio Perazzo, inicialmente gastroenterologista, está entre os que encaram a evolução do movimento psicodramático no país de forma mais crítica. É dele, por exemplo, o *Ainda e sempre psicodrama,* livro em que traça um panorama do desenvolvimento do psicodrama no Brasil, apontando também prováveis rumos futuros. O que mais parece caracterizar a trajetória desse psicodramatista sênior, ainda que pouco evidente para quem se limita a acompanhá-lo no âmbito psicodramático, é sua persistente produção criativa, tanto na literatura em prosa e verso quanto na música.

   Entrando na casa e na vida de Sérgio Perazzo, psicodramatista (2020). Ele se apresenta como um carioca que está em São Paulo desde 1970, e se considera "um paulistano naturalizado". Assim de cara, ninguém diria que é médico. Além da música, presente desde a infância, escreve muito conto, muita crônica e poesia. Mas Sérgio Perazzo é mais conhecido mesmo como psicodramatista e escritor de livros sobre psicodrama. Ele confessa: "O psicodrama pra mim entrou pelo coração, e foi transformador na minha vida". Aos 76, chega às 6 da manhã e fica até as 9 da noite no consultório: "a gente vai ficando cansado, mas eu tenho disposição". E por aí vai a conversa, nesse primeiro encontro em casa, que promete seguir adiante. https://youtu.be/fs2Dqg8A1SU

6. Quem encontra a psicóloga Maria Célia Malaquias assim à primeira vista pode não se dar conta, mas ela mesma informa: são mais de 30 anos trabalhando como psicoterapeuta. Já no âmbito psicodramático, vai ser difícil achar alguém que, como ela, tem persistentemente tratado uma temática que a torna inevitável como referência. Ela mesma identifica as duas principais fontes inspiradoras de seu constante recurso a um psicodrama que poderia ser considerado como ativista: de um lado, a diligente atenção do próprio Moreno à problemática racial norte-americana, sumariamente relatada no capítulo que o psiquiatra dedica a "O problema negro-branco". De outro, uma pesquisa feita por ela sobre psicodrama em relações raciais.

   Maria Célia Malaquias e "O Problema Negro-Branco" (2020). Ela mesma conta que aquele "foi um divisor de águas". A psicóloga e psicodramatista Maria Célia Malaquias estava fazendo sua formação em psicodrama quando deu de cara com um texto decisivo do dr. Jacob Levy Moreno. Maria Célia comenta: quando encontrou o relato do trabalho dele com um casal negro – que levou para o palco "todo o drama que eles viviam" –, se sentiu "extremamente identificada com aquelas falas". Então disse: "É por aí!", e seguiu com o curso. Há décadas, vem tratando psicodramaticamente "das dores emocionais que as atitudes racistas provocam nas pessoas", do sofrimento psíquico que elas enfrentam "quando se deparam com situações racistas". E acrescenta afirmando que, no nosso caso brasileiro, infelizmente, "todos os dias, a todo momento, sofremos ações racistas". Mas tem mais... https://youtu.be/3NzvzH97B14

7. As raízes da variante do psicodrama criado por Elisete Leite Garcia começam certamente em "O sonho da boneca". É nesse capítulo do livro *Tramas e dramas do boneco de pano no tatadrama* que a comunicadora social e psicóloga revela:

> Vim ao mundo pelas mãos de uma parteira, num barraco de dois cômodos, onde já moravam meus pais e meus quatro irmãos. Ali, apertadinha, vivi os primeiros anos de vida. [...]
> Minha mãe, retirante nordestina, era exímia na confecção de bonecas de pano. Enchia-me de amiguinhas de pano produzidas com as próprias mãos. [...]
> Não obstante a beleza e singeleza das minhas bonecas de pano, ainda não satisfazia o meu maior anseio: ter uma boneca de verdade, de plástico, com cabelos loiros iguais aos meus, que eu pudesse pentear, trançar e acariciar. Uma boneca que eu pudesse vestir, alimentar, proteger, dar toda a atenção e carinho que eu não sentia receber. (Garcia, 2010, p. 15)

Entre os vídeos que documentam sua trajetória e ajudam a entender a proposta de Elisete – que mistura técnicas psico e sociodramáticas, ao mesmo tempo que contribui para estimular a produção artesanal de mulheres bonequeiras –, este é um deles:

Quando o psicodrama brinca com bonecos: Elisete Garcia (2020). Sua criação está completando dezoito anos. A essa nova maneira de fazer psicodrama, usando bonecos feitos pelas bonequeiras do Ceará, a psicóloga e psicodramatista Elisete Leite Garcia resolveu chamar de tatadrama. Aqui ela conta por quê. Depois de descobrir e se apaixonar pelo método criado por Jacob Levy Moreno, Elisete começou a desenvolver "tramas e dramas com o boneco de pano", contando com o apoio do conhecido psiquiatra e psicodramatista argentino Dalmiro Bustos. https://youtu.be/0YzS45rVBbI

8. Só mesmo quem se dedica à pesquisa sobre o criador do psicodrama moderno chega a avaliar com justeza a contribuição do trabalho feito por Rosa Cukier, com seu *Palavras de Jacob Levy Moreno: vocabulário de citações do psicodrama, da psicoterapia de grupo, do sociodrama e da sociometria*. Publicado em 2002, e atualmente disponível tanto em espanhol quanto em inglês, esse livro organiza em ordem alfabética a grande maioria dos conceitos elaborados por Moreno, como resultado obtido por Rosa ao pesquisar cinco das obras dele (*O teatro da espontaneidade; Psicodrama; Quem sobreviverá: fundamentos da sociometria, psicoterapia de grupo e sociodrama; Fundamentos do psicodrama;* e *Psicoterapia de grupo e psicodrama*). Além de indispensável como instrumento de busca conceitual, com enorme economia de tempo, esse trabalho cria as condições para uma compreensão mais precisa de um escritor decididamente complexo e nem sempre ordenado de forma sistemática. Este é um dos vídeos que apresentam o seu trabalho:

   Na sala de espera da psicóloga Rosa Cukier (2021). Só de entrar no consultório dela, você já começa a perceber quem é a psicóloga e psicodramatista Rosa Cukier. Rosa te recebe sorrindo e se propõe inclusive a fazer o papel de copeira: "Quer um café?". Enquanto espera, você pode espiar o "Jardim das Delícias", reprodução do quadro do holandês Hieronymus Bosch, folhear revistas com novidades sobre psicologia, ou dar uma olhada em quatro dos livros que ela publicou. Mesmo que a pessoa chegue com problemas, a ideia é que se faça um pacto: que ela ou ele "vejam uma coisa diferente, uma coisa caseira". Este é o primeiro de uma série de vídeos que mostram um pouco do trabalho da experiente Rosa Cukier com o psicodrama. https://youtu.be/VT4GrEfRJXU

9. Quem quiser encontrar o psicoterapeuta Alfredo Naffah Neto vai ter que procurá-lo fora da comunidade psicodramática, por ele deixada desde 1990. Será mais fácil encontrá-lo por meio de seus escritos. Sobretudo o primeiro de seus livros, *Psicodrama: descolonizando o imaginário* (1979), nesse sentido, oferece a seus leitores, a meu ver, a mais profunda incursão brasileira na obra de Jacob Levy Moreno, dentro de uma perspectiva filosófica. Redigido como tese de mestrado junto à Faculdade de Filosofia, Letras e Ciências Humanas da Universidade de São Paulo, esse trabalho é definido pela filósofa Marilena de Souza Chauí, sua orientadora, como "exemplarmente crítico e, por isso mesmo, criador". Ela afirma: "o leitor atento não terá negligenciado a estrutura peculiar do texto que começa e termina com a mesma sessão de psicodrama" (Chauí, 1979, p. 262).

   Apesar das limitações encontradas por Naffah quanto ao reduzido acesso então possibilitado às fontes primárias – a documentação total do psiquiatra em estudo só estaria disponível ao público a partir de 1989 –, seu trabalho representa um marco na história do psicodrama brasileiro. O que os vídeos gravados com ele permitem é compreender o porquê de esse terapeuta criterioso acabar rompendo com a comunidade psicodramática, passando a se dedicar ao que ele próprio tem caracterizado como "psicanálise winnicottiana". Entre eles, está este:

   Alfredo Naffah: "O psicodrama, como terapêutica, tem seus limites" (2021). Para Alfredo Naffah Neto, o psicodrama é excelente "para se lidar com os conflitos nas relações interpessoais". Segundo ele, porém, como terapêutica, esse método "não permite um mergulho mais fundo no mundo interno de cada um". Além disso, o experiente terapeuta conta que teve uma grande decepção no Congresso de Psicodrama realizado no Rio de Janeiro, em 1990. Nessa ocasião, pelo que Naffah diz, houve um psicodrama público "que foi dirigido pra terminar num samba". Naffah saiu dali tão decepcionado que decidiu imediatamente se desligar do movimento, e daí... Bem, vamos deixar que ele mesmo conte o resto. https://youtu.be/F02Ep1I2ExI

10. Alberto Boarini fez uma mudança radical em sua carreira, passando a atuar como psicodramatista depois de duas décadas como empresário na

área de informática. Ele próprio conta como chegou a trabalhar com o psicoterapeuta britânico Roger Woolger durante anos, e como essa experiência o levou a conceber o que passou a chamar de "psicodrama interno transgeracional". Uma ideia mais concreta de como funciona essa modificação da proposta moreniana pode ser encontrada no livro lançado por Boarini, *Memórias feridas da alma: psicodrama interno transgeracional* (2021). Para complementar a visão dessa modalidade, há também vários vídeos, entre os quais este, documentando seu trabalho:

Ô, Alberto, que história é essa de Psicodrama Interno Transgeracional? (2022). Alberto Boarini começa explicando o nome que deu a esse tipo de psicodrama. Trabalhando com os ancestrais, o psicodramatista comenta a influência que o britânico Roger Woolger teve sobre ele, mas que a ideia veio mesmo em Portugal. Foi ali que entrou em contato com uma equipe que fazia psicodrama envolvendo os antepassados, ao que davam o nome de "psicodrama transgeracional". Como o Alberto já propunha que a/o protagonista fosse montando a cena mentalmente, acabou chegando aos dois adjetivos que qualificam o método praticado por ele nos dias de hoje: interno e transgeracional. Algo a ver com o chamado LGBTI+, Alberto? Neste vídeo, ele explica melhor esse assunto. https://youtu.be/v9owfy89Epk

PSICODRAMA BRASILEIRO? NOVAS PROPOSTAS DE MUDANÇA

Seria injusto deixar de mencionar outras contribuições inovadoras, levadas a cabo por profissionais dentro do movimento psicodramático brasileiro. O fato de não terem sido ainda por mim documentadas, em moldes semelhantes às já citadas, não tem a menor conotação valorativa, mas se deve apenas a limitações pessoais de tempo. A título ilustrativo, e com ares de possíveis projetos para a sua documentação, vale a pena ressaltar como exemplos:

11. O incansável trabalho de Moysés Aguiar, tanto na pesquisa quanto na prática psicodramática, desvendando pistas já em sua tese "a respeito do substrato anarquista do pensamento de Moreno" (Aguiar, 1998, p. 12), e que teve como resultado seu livro *Teatro da anarquia*. Ao enveredar pelos caminhos do teatro espontâneo, sua percepção de estar praticando "uma espécie de casamento fora-da-lei" (p. 11)

correspondeu, não tenho dúvida, a uma persistente visão preconcebida dentro do movimento. Foi a partir desse preconceito que, ignorando a história do próprio Moreno em seu período europeu, se insistiu em considerar o teatro espontâneo, no dizer do próprio Aguiar, "dentro do campo psicodramático brasileiro, como um procedimento menor, paralelo ao psicodrama, este sim de nobre estirpe" (p. 14).

Ainda que postumamente, é importante que se faça justiça, conceitualmente, às ideias defendidas por Moysés, situando o teatro espontâneo como uma das modalidades psicodramáticas desenhadas por Moreno. Foi o que tive a oportunidade de demonstrar em *Moreno, o Mestre*, aliás, ao encontrar em Harvard o diagrama desenhado pelo próprio psiquiatra nos anos 1950, definindo os três ramos do "sistema geral de métodos psicodramáticos". Historicamente, o primeiro deles, onde se situa o "teatro espontâneo", é o que Moreno denominou "psicodrama exploratório/experimental", que em Viena tinha sido por ele praticado como *Das Stegreiftheater* [O teatro da improvisação] (Guimarães, 2020, p. 289).

12. A contribuição de Victor Roberto Ciacco da Silva Dias, médico e psicodramatista, que juntamente com José Fonseca desenvolve o chamado "psicodrama interno". Seu esforço em proporcionar uma visão própria do método, utilizando a teoria do "Núcleo do Eu", proposta por Jaime Guillermo Rojas-Bermúdez, o conduziu à produção de *Psicodrama: teoria e práctica* (1987). Suas constantes reflexões como terapeuta e professor levaram Silva Dias à publicação de outro livro, *Análise psicodramática: teoria da programação cenestésica* (1994).
13. O "psicodrama ativista" (denominação provisória), desenvolvido pela psicóloga e doutora em psicologia clínica e cultura Maria da Penha Nery. Enquanto o testemunho de Penha não se documenta no mesmo canal onde já foram gravados os demais vídeos, vale a pena registrar o que ela própria exclama em sua monografia apresentada no IX Congresso Brasileiro de Psicodrama, em 1994:

> Ah! Vínculos! Constantes, inevitáveis, fatais, fundamentais... Mesmo na solidão, lá estão eles. Como desconectaremos das relações e deixaremos de ser partes do todo ou de sermos um todo com partes? ... Resolvi aprofundar esse assunto, desde então... E até hoje me pergunto sobre meus vínculos...

Não por acaso, Nery lançou em 2003 a primeira edição de seu livro *Vínculo e afetividade*: *caminho das relações humanas*, no qual ela própria, já na introdução, afirma estar buscando "ampliar a compreensão das teorias do vínculo e dos papéis, com base no estudo da aprendizagem emocional, no processo da aquisição das características dos papéis, no desenvolvimento da sociodinâmica e nas relações de poder" (Nery, 2014, p. 16).

14. O trabalho realizado por mais de 20 anos pelo Grupo Gota d'Água, em seu esforço constante de divulgação do chamado "teatro espontâneo".
15. A abordagem televisiva do psicodrama por meio do programa *Acontece Lá em Casa*, por exemplo, pela psicóloga Elizabeth Monteiro.
16. A experiência do "cinedrama", aliando cinema e psicodrama, desenvolvida por Marco Antonio Pulice Amato, do Instituto de Psicodrama e Máscara de Fortaleza, Ceará.
17. A proposta do "imagodrama", envolvendo o uso de bonecos e objetos auxiliares em psicodrama individual e online, desenvolvido pela psicóloga Leonídia Alfredo Guimarães.
18. A experiência do Grupo de Estudos e Práticas em Psicologia, Palhaçaria e Psicodrama (GEP), desenvolvida pelas psicólogas Marília Meneghetti Bruhn, Kim Ouakil Boscolo, Rita Pereira Barboza e Lilian Rodrigues Cruz.
19. A "proposta uterodrama", objeto da monografia "Tecendo diálogos entre útero, sangue e psicodrama", elaborada pela psicóloga Laura Zingra Vomero, com orientação da psicóloga Maria da Penha Nery.
20. As práticas de "psicodrama público" desenvolvidas em diversas cidades brasileiras, entre as quais Brasília, Campinas, Diadema, São Paulo e Salvador, sem contar que podem aparecer outras reivindicando eventos desse tipo também. Destaque especial para as iniciativas de Madalena Rehder e sua equipe.
21. O projeto "Escalada Terapêutica", do psicodramatista e escalador Allef Furtado, desenvolvido em Curitiba, Paraná, visando à prática desse esporte para facilitar a inclusão de pessoas com deficiência por meio de atos psicodramáticos terapêuticos.
22. As incursões da psicóloga Cybele Maria Rabelo Ramalho no universo junguiano, proporcionando aos leitores brasileiros um exercício de *Aproximações entre Jung e Moreno* (2002), 12 anos antes que, no plano

internacional, aparecesse *Jung and Moreno: essays on the theatre of human nature* [Jung e Moreno: ensaios sobre o teatro da natureza humana] (2014).

23. A mescla de *coaching* com psicodrama, proposta pelo trio Joceli Drummond, Maria de Fátima Boucinhas e Marcos Bidart-Novaes, também responde pelo nome de "método Potenciar-Criativação". Para eles, "o principal diferencial do método é o modo especial como são feitas as reflexões sobre Papéis, com o uso de Objetos Intermediários e dos *Clusters* de Papéis" (2012/2016, p. 7).
24. Com base no trabalho do prolífico escritor norte-americano Joseph Campbell, "cujos trabalhos sobre mitologia comparada examinaram as funções universais do mito em várias culturas humanas e figuras míticas numa ampla gama de literaturas" (Campbell, 2022), Januário Antônio de Freitas Junior e Jeferson de Lima Cheriegate propõem o "psicodrama do herói". Conforme descrição sumária feita por eles em artigo publicado pela *Revista Brasileira de Psicodrama*, essa modalidade "utiliza as fases do psicodrama aplicadas aos estágios de transformação descritos na jornada do herói".
25. Modalidade que vem sendo popularizada no Brasil, a chamada "constelação familiar" continua envolvendo trabalhos de dramatização sujeitos a controvérsia. Mesmo por isso, seria interessante inteirar-se, por exemplo, sobre a ação promovida desde 2015, no campo judiciário, pelo juiz de direito Sami Storch, "que iniciou o movimento das Constelações no interior da Bahia, nas comarcas de Amargosa e Castro Alves" (Storch, 2021).

Como essa lista não reflete nem de longe a multiplicidade de iniciativas frequentemente tomadas por psicodramatistas de diferentes gerações em território nacional, incluindo as criativas sugestões de jovens formandos, é de esperar que o movimento psicodramático brasileiro continue entre os mais dinâmicos do panorama internacional. Oferecer novas propostas de mudanças tanto em método quanto em técnicas, no entanto, implica levar em conta os tais aspectos apresentados pelo filósofo Vieira Pinto, evitando-se assim que o psicodrama brasileiro acabe caindo na armadilha contra a qual o próprio Moreno tanto lutou: a sua progressiva transformação em mais um rico acervo de "conservas culturais".

4. Entre Moreno e Paulo Freire: a filosofia, a terapia e a pedagogia

O LIVRO QUE FREIRE NÃO LEU, E A POLÊMICA BUBER-MORENO

Enquanto viveram, o romeno Jacob Levy Moreno e o brasileiro Paulo Reglus Neves Freire nunca se encontraram. Em 1º de abril de 1921, quando o jovem médico se apresentou no teatro de comédia de Viena em seu papel de bufão, faltavam ainda quase seis meses para 19 de setembro, data de nascimento de *Paulinho* (Abramowicz & Casadei, 2010) na cidade do Recife, Brasil.

Também não parece haver qualquer referência de um ao outro, na vasta obra escrita por ambos. No principal arquivo de Moreno catalogado pela Universidade de Harvard, por exemplo, o nome de Freire não aparece. É verdade que, na biblioteca do educador brasileiro, mantida no Instituto Paulo Freire de São Paulo, há um exemplar da primeira edição francesa de *Fondements de la sociométrie* [Fundamentos da sociometria] (Moreno, 1954). No entanto, ao contrário dos demais livros lidos por Freire, que sistematicamente fazia notas nas margens das páginas e extensos comentários nas folhas brancas no final, na cópia dessa obra de Moreno não havia sequer um traço marcado; além disso, como costumava acontecer em outros tempos com livros ao serem comprados, as folhas mantinham-se sem corte, agrupadas nos cadernos impressos.

O que realmente pode ser encontrado nesta última biblioteca são dois livros em castelhano de Martin Buber, lidos e anotados por Freire: *¿Qué es el hombre?* e *Yo y tú,* o que confirma a existência de uma primeira intersecção entre Moreno e Freire pela obra do filósofo austríaco. De fato, Buber escreveu na revista *Daimon,* da qual Moreno foi editor, e o estudo das relações entre os dois levou o psiquiatra brasileiro José S. Fonseca Filho a seu livro *Psicodrama da loucura: correlações entre Buber e Moreno* (Fonseca Filho, 1980), baseado em sua tese de doutoramento em Psiquiatria, *Correlações entre a teoria psicodramática de Jacob Levy Moreno e a filosofia dialógica de Martin Buber* (Fonseca Filho, 1972).

Para Fonseca, além de ambos serem judeus, é importante a influência hassídica (muito forte, sobretudo em Buber), de onde vem "uma proposição horizontal com Deus". Por um lado, "a divindade está na terra, no homem, entre os homens" (1980, p. 49). Por outro, trata-se de valorizar "o emocional, a vida, pregando que todos são iguais – ignorantes e letrados" (p. 69). Os dois "são pensadores dialógicos", para os quais "não existe a possibilidade de homem sozinho", ou seja, "é sempre o homem com o outro" (p. 50). Resumindo: "O **Eu-Tu** e o Encontro são pontos centrais da filosofia dos dois" (p. 52-53, negrito no original), conclui Fonseca.

O psiquiatra brasileiro evita analisar o assunto, mas é verdade que uma polêmica sobre influências recíprocas passou a ser objeto de discussões após o período vienense, arrastando-se por décadas. Moreno afirmava que "Buber tentou incorporar em seu pensamento minha concepção central do encontro, do tema 'Eu e Tu'", argumentando, no entanto, que "Buber, o autor, não fala de seu próprio 'Eu' com um 'Tu', o leitor. O 'Eu' de Buber não sai do livro para ir ao encontro desse 'Tu'. Buber e o encontro ficam dentro do livro" (Moreno, 1966, p. 143). Enquanto viveu, Moreno manteve a mesma posição, mais uma vez expressa em seu texto autobiográfico:

> Com frequência se dá crédito a Buber pelo conceito de encontro como um ponto focal para o estudo das relações interpessoais. Buber, no entanto, obteve claramente de mim a ideia do encontro e a elaborou em seu livro. Como ele era cerca de 12 anos mais velho que eu e tinha um grande número de seguidores literários, *Eu e tu* jogou *Convite para um encontro* para fora dos holofotes. Mas não quero sugerir que Buber e eu tivemos algum conflito pelo que aconteceu. Buber era um grande cavalheiro, com modos muito cálidos e cordiais. (Moreno, 1974, p. 7, itálico no original)

O psicoterapeuta austríaco Robert Waldt finalmente comprovou que Moreno tinha razão. Em sua tese de doutorado *Begegnung: J. L. Moreno Beitrag zu Martin Buber dialogischer Philosophie* [Encontro: a contribuição de JLM à filosofia dialógica de MB], apresentada à Universidade de Viena em 2006, Waldt afirma ter encontrado na biblioteca da universidade os opúsculos de Jacob Levy, que tinham sido mal arquivados. Depois de comparar minuciosamente os textos dos dois autores, constata que "a influência de Moreno no 'Eu e Tu' de Buber é evidente", observando: (1) que toda a estrutura dessa obra é influenciada pelos primeiros trabalhos de Moreno; (2) que "algumas passagens, nos principais escritos 'dialógicos' de Buber, são cópias, quase palavra por palavra, de textos de Moreno"; e (3) que, num texto inédito de Buber sobre essa sua obra principal, "há uma referência direta às ideias centrais de Moreno" (Waldt, 2006, p. 6).

Seja como for, é o *Eu e tu* de Buber que Paulo Freire vai utilizar na redação de seu principal livro, *Pedagogia do oprimido*. Especificamente no capítulo dedicado à "dialogicidade, essência da educação como prática da liberdade" (2011, p. 107), Freire procura definir o conceito de *diálogo* como fenômeno humano, com seus "dois elementos constitutivos", ou seja, "duas dimensões – ação e reflexão – de tal forma solidárias, numa interação tão radical que, sacrificada, ainda que em parte, uma delas, se ressente, imediatamente, a outra". É essa "união inquebrantável entre ação e reflexão" (p. 107) que Freire vai chamar de *práxis* – conceito utilizado frequentemente por Moreno, sobretudo em seus textos escritos em alemão, como o *Gruppenpsychotherapie und Psychodrama: Einleitung in die Theorie und Praxis* [A psicoterapia de grupo e o psicodrama: introdução à teoria e à práxis] (Moreno, 1959).

Para Freire, "o diálogo é esse encontro dos homens, mediatizados pelo mundo, para *pronunciá-lo*, não esgotando-se, portanto, na relação eu-tu" (Freire, 2013, p. 109, itálico no original). Além disso, comenta no capítulo seguinte, dedicado à "antidialogicidade e à dialogicidade como matrizes de teorias de ação cultural antagônicas" (Freire, 2013):

> Enquanto na teoria da ação antidialógica a conquista, como sua primeira característica, implica num sujeito que, conquistando o outro, o transforma em quase "coisa", na teoria dialógica da ação, os sujeitos se encontram para a transformação do mundo em co-laboração.
>
> O *eu* antidialógico, dominador, transforma o *tu* dominado, conquistado num mero *"isto"* (Freire, 2011, p. 226-227).

Provavelmente por um erro na revisão editorial, a nota de rodapé feita por Freire no fim da frase anterior não aparece na edição castelhana, mas sim nas edições brasileira e norte-americana do livro: "Ver Martin Buber,

'*Eu e tu*'" (Freire, 2011, p. 227) e "See Martin Buber, *I and Thou,* New York, 1958" (Freire, 1993, p. 148), respectivamente.

ENTRE O SÓCRATES DE MORENO E O DE FREIRE

Outro ponto de convergência importante entre Moreno e Freire é Sócrates. Apesar de Aristóteles ser o filósofo grego mais referenciado por Moreno, em função do fenômeno da catarse, o primeiro sem dúvida é seu preferido, como se pode constatar num fragmento de sua autobiografia:

> Tive dois professores, Jesus e Sócrates; Jesus, o santo da improvisação, e Sócrates, de forma curiosa, o mais próximo de ser um pioneiro do formato psicodramático. Os diálogos de Sócrates me impressionaram não por seu conteúdo, mas porque foram apresentados como "relatos" de sessões reais (talvez acidental e não intencionalmente) e não como um produto imaginário de uma mente poético-filosófica. Embora Platão, como um repórter "ego auxiliar", tenha trabalhado no material real e o tenha preservado para a posteridade, isso não muda a relação concreta e situacional de Sócrates quanto a ele. Sócrates se envolveu com pessoas reais, atuando como uma parteira e um esclarecedor, como um psicodramatista moderno faria. Até aí tudo bem, mas foi aí que minha luta com Sócrates começou: o quadro de referência de seus diálogos se limitava à lógica dialética; ele não entrou, como Jesus, na totalidade e na essência da própria situação. Talvez, se tivesse havido, entre os discípulos de Jesus, um Platão, a técnica psicodramática pudesse ter nascido na Palestina há dois mil anos. (Moreno, 1974, p. 18-19)

Seguindo o mesmo raciocínio, Moreno chega finalmente à síntese de seu pensamento em relação aos papéis de Jesus e de Sócrates como seus mestres, ao comentar que:

> Isso não aconteceu em Atenas, apesar do naturalmente lúdico diálogo socrático, e as dinâmicas, mas conservadoras, tragédias de Ésquilo existiram lado a lado. Não ocorreu até nossos dias que os dois enfoques, o de Jesus, o curador, e o de Sócrates, o mestre, e as duas artes, o drama socrático e o de Ésquilo, se entrelaçassem para criar o psicodrama. (p. 19)

Segundo Moreno, Sócrates teria chegado mais perto do formato psicodramático na única vez em que visitou um teatro, "ao saber que Aristófanes havia escrito uma comédia na qual ele, Sócrates, era caricaturado". Na verdade, Moreno se refere a *As nuvens* (ver cap. 2), comentando que o filósofo estava, "de certa forma psicodramaticamente, [a] mostrar aos bons atenienses na plateia que podia provar que o ator que o espelhava no palco não lhe fez justiça". E observa:

> Ele poderia ter virado o teatro de cabeça para baixo e um "sociodrama" poderia ter surgido. [...] Mas ele não viu nada "além de sua própria situação". Ele não viu que um novo método de ensinar e esclarecer as relações humanas estava ao seu alcance. Sócrates tinha a mensagem, mas o daimon dentro dele não falou alto o suficiente ou prematuramente calou-se. [...] Dois mil anos depois, Kierkegaard ouviu o daimon novamente, mas foi prejudicado pelo remorso pessoal, imerso nos imperativos de sua existência privada, no medo de perder o "Eu" no "Você", e obcecado por seu próprio monodrama. Coube a mim ouvir e entender o daimon mais plenamente e levar a ideia a uma conclusão. (p. 22)

Não é um acaso o fato de a revista em que Buber e Moreno estiveram juntos se chamar *Daimon*. Por outro lado, ao referir-se a "um novo método de ensinar e esclarecer as relações humanas", Moreno foi muito claro quanto à dimensão pedagógica imanente à sua proposta de método psicodramático, inseparável de sua dimensão terapêutica.

A propósito, a confirmação do uso da maiêutica por parte de Moreno é incluída por Zerka em suas memórias:

> Numa tarde de verão, Moreno deu sua aula na grande varanda da Gillette House. Seu assunto era um paciente com quem tínhamos acabado de vê-lo trabalhar. Ele nos pediu para fazer uma análise do processo de seu trabalho como diretor. Usando o método socrático, Moreno disse como realizava seu trabalho, até que parou num ponto importante e perguntou: "O que vocês acham que me motivou?" ou "Por que vocês acham que eu fiz isso?" ou "O que vocês notaram de tão especial?". Um de nós já ia responder quando ele foi chamado ao telefone e sugeriu que desligássemos o gravador. Ele se virou para um dos alunos para pedir-lhe

que assumisse o papel de diretor, tornando-se seu duplo. Ele nunca deixou de transformar qualquer situação em oportunidade de aprendizado. (Z. T. Moreno, 2012, p. 315).

Do lado de Freire, suas relações com o pensamento de Sócrates também não podem ser ignoradas. É verdade que, no caso do filósofo grego, para chegar às suas ideias é preciso passar por Platão, e especialmente por *A República* com seus *Diálogos*, que de fato traz Sócrates como protagonista. "Aprendi o diálogo epistemológico com o velho Sócrates", reconhece Freire (Araújo Freire, 1998, p. 36), que, quase 20 anos após sua morte, em maio de 1997, continua atraindo a atenção acadêmica por sua obra. Entre outras, duas publicações ilustram o interesse pela obra do educador brasileiro.

O professor Francis A. Samuel, do Dowling College, de Nova York, por exemplo, em seu livro *The humanistic approach to education: from Socrates to Paulo Freire* [O enfoque humanista da educação: de Sócrates a Paulo Freire], traça uma perspectiva histórica a partir dos filósofos gregos, com ênfase em educadores humanistas "como Jean-Jacques Rousseau, Friedrich Froebel, John Dewey, Rabindranath Tagore, Abraham Maslow, Arthur Combs, Carl Rogers, Maria Montessori e Paulo Freire", que, segundo Samuel, têm grande influência na educação contemporânea (Samuel, 2014).

Já o professor Stephen G. Brown, da Universidade de Nevada, Las Vegas, dedica um livro inteiro para analisar tanto o pensamento do educador brasileiro como o do filósofo grego, de quem Freire é considerado um "descendente genealógico" (Brown, 2012, p. 1). Em *The radical pedagogy of Socrates and Freire: ancient rhetoric/radical praxis* [A pedagogia radical de Sócrates e Freire: retórica antiga/práxis radical], Brown procura promover um "diálogo" entre os dois pensadores, fazendo uso da "teoria pós-freudiana para informar de maneira útil as origens psicológicas das pedagogias radicais de Sócrates e Freire" (p. 4), com destaque para as contribuições de Jacques Derrida, Lev Vygotsky, Peter Brooks e Otto Rank. Para ele, além de as duas abordagens terem sido "uma intervenção contra os excessos de poder" e, portanto, terem levado "as práticas significativas de dominação a um interrogatório radical", fica claro que "o objetivo comum da práxis socrática e freireana" é "a libertação do Eu numa participação 'mais plenamente humana' na realidade" (p. 31).

O processo de liberação certamente é outro ponto de convergência entre Moreno e Freire. Sempre em sua obra principal, e referindo-se à dimensão psicológica da situação dos oprimidos, o educador brasileiro a descreve assim:

> Sofrem uma dualidade que se instala na "interioridade" do seu ser. Descobrem que, não sendo livres, não chegam a ser autenticamente. Querem ser, mas temem ser. São eles e ao mesmo tempo são o outro introjetado neles, como consciência opressora. Sua luta se trava entre serem eles mesmos ou serem duplos. Entre expulsarem ou não ao opressor de "dentro" de si. Entre se desalienarem ou se manterem alienados. Entre seguirem prescrições ou terem opções. Entre serem espectadores ou atores. Entre atuarem ou terem a ilusão de que atuam, na atuação dos opressores. Entre dizerem a palavra ou não terem voz, castrados no seu poder de criar e recriar, no seu poder de transformar o mundo. (Freire, 2011, p. 47-48)

Mais adiante, Freire acrescenta "a autodesvalia" como "outra característica dos oprimidos", a qual "resulta da introjeção que eles fazem da visão que deles têm os opressores" (p. 69). Ou seja:

> De tanto ouvirem de si mesmos que são incapazes, que não sabem nada, que não podem saber, que são enfermos, indolentes, que não produzem em virtude de tudo isto, terminam por se convencer de sua "incapacidade". Falam de si como os que não sabem e do "doutor" como o que sabe e a quem devem escutar. Os critérios de saber que lhe são impostos são os convencionais. (p. 69)

Embora a terminologia seja diferente, parece claro que a crítica de Freire aos critérios "convencionais" do saber corresponde ao que Moreno chamaria de "conservas culturais". Por outro lado, o processo de libertação, que para Freire implica a passagem da chamada "consciência ingênua" para a "consciência crítica", pode ser comparado à concepção de Moreno sobre o que ocorre no psicodrama por meio da "catarse de integração", isto é, a catarse mental que ele define como "um processo que acompanha todos os tipos de aprendizagem, não apenas a descoberta da resolução de um conflito, mas também da compreensão de si mesmo, não apenas liberação e alívio, mas também equilíbrio e paz" (Moreno, 1949, p. 7).

Deve-se atentar também para o fato de que Freire, mesmo não estando muito familiarizado com as propostas de Moreno, fez recomendações específicas como a que segue, sempre na *Pedagogia do oprimido*, ao descrever o trabalho com grupos de alunos alfabetizandos, uma vez definidos os chamados "temas geradores" para debates:

> Podem ainda alguns destes temas ou alguns de seus núcleos ser apresentados através de pequenas dramatizações, que não contenham nenhuma resposta. O tema em si, nada mais.
> Funcionaria a dramatização como codificação, como situação problematizadora, a que se seguiria a discussão de seu conteúdo. (Freire, 2011, p. 163)

PARA FREIRE, A "EDUCAÇÃO BANCÁRIA"; PARA MORENO, "O PASSO DE GANSO"

O que pode surpreender no caso de Moreno é que, já nos anos 1940, na área da educação, ele antecipou a apresentação de ideias que Freire só viria a formular a partir dos anos 1960. O conjunto mais completo de suas observações aparece no livro *Psychodrama and sociodrama in American education* [Psicodrama e sociodrama na educação norte-americana], organizado por Robert Bartlett Haas, professor da Universidade da Califórnia, em 1949. Na seção I, dedicada à "educação como processo", Moreno começa seu capítulo "Teoria da espontaneidade do aprendizado" com uma referência ao físico que ele conheceu quando estudante em Viena em 1911, e que o impressionou por sua "habilidade de imaginar todo o cosmos" (Moreno, 1974, p. 15):

> Einstein postulou que o conhecimento do universo físico é relativo ao observador. Ao tornar o observador parte do experimento, ele criou uma revolução na física. A revisão do método experimental inaugurado pela sociometria para as ciências sociais deu um passo adiante. Ela postula que o conhecimento do universo social é relativo aos seus atores constituintes e às relações entre eles. Não foi apenas a reintrodução do observador, mas a mudança de status, o do investigador social em parceiro e membro do

> grupo e, sobretudo, a mudança de status de todos os observados para o de pesquisadores sociais. Essa dupla inversão de papéis levará gradualmente a uma reestruturação dos métodos de experimentação social.
> Para o campo da educação, essa revisão teve duas consequências. Uma: era preciso inventar operações, nas quais se considerasse tal revisão, para que ocorresse uma aprendizagem real e dinâmica, por exemplo, com o psicodrama e o sociodrama. Em segundo lugar, o professor torna-se um parceiro e membro do grupo, em vez de uma autoridade, um estranho desconectado. Agora ele é professor *e* aluno, fora *e* dentro do grupo. Sua influência educacional torna-se controlável, semelhante ao pesquisador social controlado em sociometria experimental e ao psicoterapeuta e conselheiro controlado em situações psicodramáticas. (Moreno, 1949, p. 3, itálico no original).

Não há como não perceber a coincidência entre a posição de Moreno – em relação à mudança do papel de professor, que "se transforma em parceiro e membro do grupo" e que agora "é professor *e* aluno" – e a de Freire quando, ao criticar a "educação como prática da dominação" e propor uma "educação libertadora, problematizadora" por meio do diálogo, afirma que:

> É através deste que se opera a superação de que resulta um termo novo: não mais educador do educando, não mais educando do educador, mas educador-educando com educando-educador.
> Desta maneira, o educador já não é o que apenas educa, mas o que, enquanto educa, é educado, em diálogo com o educando que, ao ser educado, também educa. Ambos, assim, se tornam sujeitos do processo em que crescem juntos e em que os "argumentos de autoridade" já não valem. Em que, para ser-se, funcionalmente, autoridade, se necessita de *estar sendo com* as liberdades e não contra elas.
> Já agora ninguém educa ninguém, como tampouco ninguém se educa a si mesmo: os homens se educam em comunhão, mediatizados pelo mundo. (Freire, 2011, p. 95-96, itálico no original).

De fato, a crítica feita por Freire às "relações educador-educandos, na escola, em qualquer de seus níveis (ou fora dela)" é a de que são "fundamentalmente *narradoras, dissertadoras*" (p. 79), explicando que "a narração, de que o educador é o sujeito, conduz os educandos à memorização mecânica do conteúdo narrado" (p. 80, itálicos no original). E, para ilustrá-la, ele utiliza a metáfora da transformação dos educandos "em 'vasilhas', em recipientes a serem 'enchidos' pelo educador", comentando que, por um lado, "quanto mais vá enchendo os recipientes com seus 'depósitos', tanto melhor educador será", e que, por outro, "quanto mais se deixem docilmente 'encher', tanto melhores educandos serão" (p. 80). Com isso, critica Freire,

> Em lugar de comunicar-se, o educador faz "comunicados" e depósitos que os educandos, meras incidências, recebem pacientemente, memorizam e repetem. Eis aí a concepção "bancária" da educação, em que a única margem de ação que se oferece aos educandos é a de receberem os depósitos, guardá-los e arquivá-los. Margem para serem colecionadores ou fichadores das coisas que arquivam. No fundo, porém, os grandes arquivados são os homens, nesta (na melhor das hipóteses) equivocada concepção "bancária" da educação. Arquivados, porque, fora da busca, fora da práxis, os homens não podem ser. Educador e educandos se arquivam na medida em que, nesta destorcida visão da educação, não há criatividade, não há transformação, não há saber. Só existe saber na invenção, na reinvenção, na busca inquieta, impaciente, permanente, que os homens fazem no mundo, com o mundo e com os outros. Busca esperançosa também. (p. 80-81)

A metáfora utilizada por Moreno para sua crítica a um determinado tipo de educação é um pouco diferente da de Freire, mas o enfoque é semelhante. No mesmo texto recém-mencionado, o psiquiatra comenta:

> Uma ilustração do que o estabelecimento de metas [a teoria] faz para o aluno é o aprendizado "passo de ganso", modelo emprestado de algumas escolas militares alemãs. O aluno ensaia, é meticulosamente instruído sobre como se comportar em situações especiais, pois se presume que vá ser tanto mais preciso quanto mais ensaie, no manejo de uma situação específica; ele aprende como um ator memorizando seu papel. O resultado pode ser uma grande precisão na resolução da tarefa, mas

> um mínimo de espontaneidade para qualquer outra coisa que possa acontecer inesperadamente. Se ocorrer uma nova situação para a qual o aluno-soldado não tem experiência na espontaneidade para começar a trabalhar, ele ficará cego e bloqueado pelos próprios clichês que aprendeu a dominar. Ele poderia ter sido preparado para *todas* as situações possíveis ao invés de algumas situações específicas, mas isso significaria mudar a filosofia e a técnica de aprendizagem. (Moreno, 1949, p. 4, itálico no original).

Diga-se de passagem, a alternativa ao "passo de ganso" proposto por Moreno significava a "aprendizagem da espontaneidade" que teria como objetivo, no caso do exército alemão, por exemplo, "capacitar o organismo do soldado a atuar adequada e rapidamente no calor do momento". Nesse sentido, observa, "preservar e aumentar sua plasticidade se torna mais importante do que treinar sua precisão dentro de um âmbito estreito" (p. 5).

FUNDAMENTAL PARA AMBOS: A BUSCA DA AUTONOMIA

Sempre no aspecto conceitual, outro ponto de convergência importante entre Moreno e Freire é a questão da autonomia. Antes de se pronunciar sobre a "autonomia do aprendiz", o psiquiatra expõe sua visão geral sobre a aprendizagem, que ele define como "um processo que inclui tudo, do qual a aprendizagem educativa é só uma fase", ou seja:

> Deve incluir o aprendizado na própria vida, desde a infância até a velhice, tanto para os sub-humanos quanto para os organismos humanos. Deve incluir a aprendizagem social e cultural, conforme ocorre no âmbito das instituições sociais e culturais. Deve incluir o aprendizado terapêutico tanto no divã quanto no ambiente do psicodrama. Uma vez formulada essa visão ampla do processo de aprendizagem, podemos dar um passo adiante e avaliar todos esses vários instrumentos de aprendizagem em termos do que eles conseguem para a autonomia, espontaneidade e criatividade dos próprios educandos. (Moreno, 1949, p. 6)

Em sua explicação, por um lado, fica claro que Moreno valoriza o "aprendizado terapêutico" na terapia e que considera tanto o divã quanto o palco como "instrumentos de aprendizagem". Por outro lado, a autonomia do aprendiz está entre os critérios de avaliação por ele definidos, juntamente com os outros dois fatores centrais de sua teoria. Nesse sentido, observa ele, "o valor educacional ou terapêutico de um instrumento pode ser medido pelo grau em que a autonomia de indivíduos ou grupos é estimulada", acrescentando que "os graus em que o sujeito se aquece para uma experiência e expressão de si mesmo e dos outros são uma medida da autonomia do eu" (p. 6-7). E, quanto aos diferentes "instrumentos" e seus diferentes níveis de autonomia proporcionados, Moreno comenta:

> Podemos falar de instrumentos que promovem apenas um mínimo de participação e autonomia e de instrumentos que promovem um máximo de participação e autonomia. Alguns instrumentos encorajam o indivíduo apenas a se aquecer para as percepções, outros apenas para as fantasias, outros para uma associação livre de palavras. Pode-se imaginar um grande número de instrumentos ainda inexistentes que mobilizariam e sustentariam áreas crescentes da personalidade de maneira controlada, até que um nível de aquecimento seja alcançado em que o ator *in situ* seja totalmente absorvido e liberado. Esses instrumentos que permitem altos graus de autonomia são o psicodrama e o sociodrama. (p. 7)

Freire, por sua vez, dedicou ao mesmo assunto seu último livro, publicado meses antes de sua morte. Trata-se de *Pedagogia da autonomia*: *saberes necessários à prática educativa*, em que o educador brasileiro retoma pontos essenciais de seu pensamento, apresentando "a questão da formação docente ao lado da reflexão sobre a prática educativo-progressiva em favor da autonomia do ser dos educandos" como tema central (Freire, 2011a, p. 15).

Coincidindo com a visão de educação de Moreno na esfera geral da vida, e não apenas em sua dimensão escolar, Freire discute, por exemplo, a posição do pai ou da mãe que, "sem nenhum prejuízo ou rebaixamento de sua autoridade", acata o papel de "assessor ou assessora do filho ou filha", acrescentando: "Assessor que, embora batendo-se pelo acerto de sua visão das coisas, jamais tenta impor sua vontade ou se abespinha porque seu ponto de vista não foi aceito" (p. 104). Mais do que isso, Freire insiste,

> o que é preciso fundamentalmente mesmo é que o filho assuma eticamente, responsavelmente, sua decisão, fundante de sua autonomia. Ninguém é

> autônomo primeiro para depois decidir. A autonomia vai se constituindo na experiência de várias, inúmeras decisões que vão sendo tomadas. Por que, por exemplo, não desafiar o filho, ainda criança, no sentido de participar da escolha da melhor hora para fazer seus deveres escolares? Por que o melhor tempo para essa tarefa é sempre o dos pais? Por que perder a oportunidade de ir sublinhando aos filhos o dever e o direito que eles têm, como gente, de ir forjando sua própria autonomia? [...] A autonomia, enquanto amadurecimento do *ser para si*, é processo, é vir a ser. Não ocorre em data marcada. (p. 105, itálico no original)

COMEÇAR IMPROVISANDO, O PROJETO COMUM

O encontro mais longo e prolífico entre as ideias de Moreno e Freire foi proporcionado pelo conjunto de livros produzidos por nós dois, o educador brasileiro e eu. Em 1982, foi lançado no Brasil *Sobre educação: diálogos*, primeiro resultado impresso do encontro entre Paulo Freire e Sérgio Guimarães. De fato, foi uma série de encontros realizados em São Paulo ao longo de 1981 e publicados no ano seguinte, inaugurando um processo sem precedentes na já considerável trajetória editorial de Freire. Pela primeira vez, não se tratou da produção "monológica" de um ou mais autores, posteriormente justapostos em formato de livro, mas sim da criação de um diálogo real, produzido "no calor do momento", com características semelhantes àquelas sugeridas por Moreno. Assim começa o que viria a ser o primeiro capítulo, "Partir da infância", por exemplo:

> Sérgio – Eu começaria improvisando e "jogando a bola" para você, ou seja: depois do que a gente já discutiu sobre essa ideia de um livro, por onde é que você começaria?
>
> Paulo – Olha, a ideia, como eu te disse, não sei se eu ia dizendo "me fascina", ou se é um exagero, acho que não. Acho um projeto que vale a pena ser tentado, desde, sobretudo, que a gente parta para o projeto de tal maneira abertos a ele que a gente admita que o projeto se constituirá exatamente no diálogo, [...] nas nossas conversas, nas nossas perguntas um ao outro. E, nesse sentido, talvez fosse interessante que a gente se permitisse participar do projeto comum com um pouco de memória também, na medida em que a gente se pergunte sobre a educação, por exemplo, em geral, e que se procure no tempo. [...]

> Sérgio – Sim, mas quando você fala de se perguntar sobre educação no tempo, isso já levanta um problema de "por onde partir". Vamos partir de onde? Da infância? Provavelmente, não? (Freire & Guimarães, 2022a, p. 29-30)

Minutos após as primeiras perguntas feitas por mim, Freire age como se fosse um diretor de psicodrama, propondo o uso da técnica de inversão de papéis:

> Paulo – Eu tenho impressão de que você, inclusive, deve já já inverter os papéis e falar um pouco da sua experiência, não apenas como aluno, mas também como professor primário. Acho que o valor dessa conversa nossa é que ela pretende ser algo mais do que uma entrevista. É uma entrevista mútua. (p. 39)

Nessa dinâmica do diálogo, embora limitada pelo fato de em nenhum momento o espaço físico ter sido utilizado para ações de natureza psicodramática entre os dois interlocutores, ficou clara a coincidência entre certas ideias de Moreno e as de Freire. É o caso, por exemplo, do momento em que Freire insiste na necessidade de que a curiosidade infantil seja estimulada não só em nível individual, mas também em nível de grupo, insistindo que, "no fundo, o conhecimento é social também, e não só individual, apesar da dimensão individual que há nessa curiosidade" (p. 72). No entanto, ele também comenta:

> Me parece que um tal apoio ao desenvolvimento da capacidade crítica do educando e à sua curiosidade implica, necessariamente, respeito e estímulo também à espontaneidade da criança.
> Eu não sei se tu concordas comigo, dentro da própria prática tua, mas me parece que se a espontaneidade do educando é reprimida, a sua criatividade é sacrificada. [...] Mas estou convencido, na minha prática, que a espontaneidade, a imaginação livre, a expressão de si mesmo e do mundo na criança; a inventividade, a capacidade de recriar o já criado, para poder assim criar o ainda não criado, não podem, de um lado, ser negadas em nome da instalação de uma cega disciplina intelectual nem, de outro, estar fora da própria constituição dessa disciplina, entendes, Sérgio? (p. 72-73)

Tampouco pode passar despercebido que Moreno começou a buscar a espontaneidade e a criatividade – depois transformadas em pilares de seu pensamento – a partir das crianças, e que é exatamente esse o princípio a partir do qual se desenvolve a totalidade dos diálogos entre Freire e Guimarães. Se você procurar as raízes históricas da pedagogia entre os gregos, é certo que encontrará um conjunto de termos compostos de "ϖαιδαγωγέω -ώ, ensinar, instruir, educar crianças", "ϖαιδ-αγωγός ού ό, escravo encarregado de levar as crianças para a escola, preceptor de uma criança", e "ϖαιδεία ας ή, educação das crianças; instrução; cultura; lição" (Pabón S. de Urbina, 2007, p. 444), por exemplo.

NOVAS TECNOLOGIAS, A PRODUÇÃO DE "COMUNICADOS" E NOVOS PARCEIROS

No segundo livro dialógico produzido pela dupla Freire-Guimarães em 1983, *Sobre educação: diálogos II* (Freire & Guimarães, 1984) – título posteriormente alterado para *Educar com a mídia: novos diálogos sobre educação* –, surge pelo menos mais um ponto de encontro entre Moreno e Freire: a questão das novas tecnologias, que o psiquiatra sempre buscou incorporar a seu trabalho de maneira precursora (Ver último capítulo).

Suas críticas ao rádio na década de 1940, por exemplo, resultam sobretudo da percepção de que, "recapitulando os últimos vinte anos do rádio, podemos observar que todo o campo, com raras exceções, está praticamente controlado pela conserva", ao contrário de sua expectativa de que pudesse vir a ser utilizado "para a apresentação de material espontâneo" (p. 465). Mesmo assim, diante do novo recurso televisivo, Moreno insistia na necessidade de que "um novo sistema deve ser organizado e introduzido que participe de algumas fases das técnicas antigas e conservadas, mas que seja integrado e vitalizado por métodos de espontaneidade" (p. 466). Já naquela época, alertava para o fato de que essa "outra invenção tecnológica", a televisão, "poderia facilmente cair presa da conserva, tal como aconteceu com o rádio" (p. 465).

Quase 40 anos depois, as críticas feitas por Freire e Guimarães em seu segundo livro dialógico vão justamente nessa direção, quando o primeiro comenta, por exemplo, que o que se faz em grande parte, com a mídia, é a produção de comunicados: "Em lugar de haver comunicação real, o que está havendo é transferência de dados, que são ideológicos e que partem muito bem-vestidos" (Freire & Guimarães, 2021, p. 37); ou quando o segundo interlocutor observa nas escolas a utilização mais frequente dos novos meios eletrônicos de comunicação "como aparelhos de transmissão de mensagens pré-fabricadas", reduzindo o papel dos alunos ao de "meros consumidores" (p. 56).

Quanto ao já mencionado caráter "mais prolongado e prolífico" desse ponto de encontro entre Moreno e Freire, concretizado por Freire e Guimarães, a verdade é que o formato dos livros dialógicos improvisados proporcionou outros quatro frutos da dupla: *Aprendendo com a própria história*, volumes I (Freire & Guimarães, 1987) e II (Freire & Guimarães, 2000), *A África ensinando a gente* (Freire & Guimarães, 2003) e finalmente *Sobre educação: lições de casa* (Freire & Guimarães, 2008) (datas das primeiras edições).

Ao propor ao sociólogo chileno Antonio Faundez uma experiência dialógica similar em 1983, Freire comentaria com ele que se tratava de uma experiência "rica, realmente criadora", que "de dois anos a esta parte tenho trabalhado desta forma, e nada me sugere que deva desistir de fazê-lo", acrescentando que, "de fato, 'falar' um livro a dois, a três, em lugar de escrevê-lo a sós, rompe um pouco, pelo menos, com uma certa tradição individualista na criação" (Freire & Faundez, 2013, p. 10). Além disso, agrega, é importante "sublinhar que a vivacidade do discurso, a leveza da oralidade, a espontaneidade do diálogo, em si mesmos, não sacrificam em nada a seriedade da obra ou a sua necessária rigorosidade" (p. 11).

O passo seguinte foi efetivamente uma experiência a três, que resultou no livro *Pedagogia: diálogo e conflito*, produzido por Freire, pelo pedagogo brasileiro Moacir Gadotti e Guimarães, em 1983, e posteriormente editado também em italiano (Freire, Gadotti & Guimarães, 1995), catalão (2001) e castelhano. Para sua edição em Buenos Aires, para dizer a verdade, ao trio se juntou a educadora e pesquisadora argentina Isabel Hernández, que adicionou um capítulo novo sobre a educação nesse país (Freire, Gadotti, Guimarães & Hernández, 1987).

A série de livros dialógicos inaugurada pela dupla Freire-Guimarães vai de fato estimular, nos anos seguintes, uma criação editorial variada entre Freire e outros parceiros, por exemplo: (1) com o intelectual brasileiro e frade dominicano Carlos Alberto Libânio Christo (Frei Betto), *Essa escola chamada vida* (Freire & Betto, 1985); (2) com o professor da Universidade da Cidade de Nova York Ira Shor, *Medo e ousadia: o cotidiano do professor*, publicado em inglês como *A pedagogy for liberation* [Uma pedagogia para a libertação] (Freire & Shor, 1987), além de outros com o professor cabo-verdiano-americano Donaldo Macedo, *Alfabetização: leitura do mundo, leitura da palavra* (Freire & Macedo, 1986) e com o educador americano Myles Horton, *We make the road by walking: conversations on education and social change* [Nós fazemos a estrada caminhando: conversas sobre educação e mudança social] (Freire & Horton, 1990 e 2003). A obra *Paulo Freire: uma biobliografia* (Gadotti & Torres, 1996) traz a lista completa das produções dialógicas entre Freire e todos os seus parceiros até então.

ENTRE MORENO E FREIRE: MARÍA ALICIA E O PSICODRAMA PEDAGÓGICO

Em sua obra *Psicodrama pedagógico* editada em português (1987), a pedagoga argentina María Alicia Romaña conta que, em 1963, se inscreveu no primeiro seminário de formação para psicodramatistas da recém-constituída Associação Argentina de Psicodrama e Psicoterapia de Grupo: "Essa formação era específica para aplicação em psicoterapia, por isso vi a necessidade de começar a construir um arcabouço adequado para a aplicação na educação", observa, sobre o curso de três anos que lhe garantiu o título de psicodramatista. Depois de anos de dificuldades com "demonstrações para colegas educadores" sobre as "possibilidades de aplicação das técnicas psicodramáticas na educação" entre 1966 e 1968, Romaña considera que a realização do IV Congresso Internacional de Psicodrama, em agosto de 1969 em Buenos Aires, marca "a apresentação oficial do Psicodrama Pedagógico" (p. 18-19). Ela também comenta que, após se afastar da linha de formação da associação argentina, retomou a formação de educadores em São Paulo em 1971, acrescentando:

> No fim daquele ano, o curso de Psicodrama Pedagógico que ministrava já estava suficientemente difundido, o que nos permitiu estabelecer, com uma ex-aluna paulista, Marisa Nogueira Greeb, a primeira escola de Psicodrama Pedagógico de que se tem notícia: a "Role Playing" Pesquisa e Aplicação. (p. 19)

Essas referências são importantes porque registram, por um lado, os primeiros passos em direção a uma maior autonomia da ação psicodramática com objetivos não terapêuticos na América Latina, e, por outro, os esforços de conceituar o psicodrama numa linha diferente daquela que tinha sido adotada pelo grupo de profissionais médicos da Argentina e do Brasil. A propósito, em seu último livro, *Pedagogía psicodramática y educación conciente*, Romaña explica como chegou ao *insight* que lhe permitiu compor o que mais tarde chamou de "Método Educacional Psicodramático":

> Já vinha observando no trabalho dos nossos professores que a estrutura das cenas propostas nem sempre era a mesma. Em alguns casos, os diretores propunham reproduções realistas de situações já vividas. Em outros casos, pediam que se mostrasse simbolicamente como algo era sentido e, em outros, solicitava-se uma construção imaginária. (Romaña, 2010, p. 24)

A partir daí, Romaña passou a "associar cada uma das possibilidades de realização – real, simbólica ou da fantasia – com um tipo próprio ou específico do que seria representado", isto é: a "realização real", com "situações vividas, coisas ou objetos parcial ou totalmente conhecidos"; a "simbólica", com "sentimentos, expectativas, sensações e afins"; e a "da fantasia", com "situações temidas, sonhos, ideias e projetos imaginados". Além disso, a pedagoga argentina começa a estabelecer uma correlação entre cada tipo de realização e um nível de compreensão lógica, atribuindo ao primeiro ("real") o "nível conceitual analítico", ao segundo ("simbólico") o "conceitual sintético" e ao terceiro ("da fantasia") o "nível de generalização" (p. 25).

Em relação às resistências ao chamado psicodrama pedagógico no Brasil, o que Romaña revela sobre os primeiros tempos é que, apesar da "criação das duas primeiras entidades psicodramáticas brasileiras" – fato ocorrido em dezembro de 1970 –, "nenhuma delas incluía o psicodrama pedagógico em seus propósitos de formação psicodramática de profissionais". É o que explica, segundo ela, a criação da escola Role Playing em 1971 (p. 26).

A evolução de sua prática e de suas reflexões no Brasil e na Argentina a levam, "no final dos anos 1990", à formulação de uma *pedagogia do drama*. Romaña decide então acrescentar dois outros pensadores à "teoria psicodramática de Moreno", reconhecendo assim mais um ponto de encontro entre Moreno e Freire:

> A ampliação da base de sustentação veio como resultado da articulação das ideias evolutivas de **Vygotsky** e da valorização por ele atribuída ao simbólico. Também incorporei o rico universo de **Paulo Freire** em relação à necessidade de reflexão sobre a ação (*práxis*), sobre o componente ético no papel do educador e sobre a evolução da consciência. (p. 30, negrito e itálico no original)

Por fim, Romaña formula uma *pedagogia psicodramática*, procurando abarcar "todos os momentos anteriores" e argumentando que, "existindo tal amplitude, o educador pode resolver praticamente todas as demandas, criando as respostas sem contradizer os princípios morenianos que lhe deram origem" (p. 37). Esse comentário de Romaña é oportuno porque as contribuições de Moreno nem sempre foram consideradas nas modificações do método por ele elaborado. Um exemplo claro desse tipo de omissão pode ser encontrado, por exemplo, em *Psicopedagogía en psicodrama*, da psicopedagoga argentina Alicia Fernández: em suas 272 páginas, várias citações incluem André Green, Didier Anzieu, Eduardo Pavlovsky, Freud, Goethe, Jacques Derrida, Lacan, Sêneca, Umberto Eco e Winnicott, entre outros, mas o nome de Moreno não é mencionado uma vez sequer (Fernández, 2009).

O que Romaña não registra em seus trabalhos sobre psicodrama pedagógico são as contribuições do próprio Moreno sobre essa modalidade psicodramática, provavelmente pela falta de acesso à documentação específica do psiquiatra sobre o assunto. A pedagoga argentina não cita, por exemplo, nem o terceiro e último volume de *Psicodrama*, dedicado à "terapia da ação e princípios de sua prática" e produzido por Moreno em colaboração com Zerka, nem o livro organizado por Robert Haas sobre *Psychodrama and sociodrama in American education* [Psicodrama e sociodrama na educação norte-americana], no qual Moreno e outros expõem suas ideias e práticas sobre o psicodrama aplicado aos diversos níveis do setor educacional. Já nessa publicação de 1949, a definição de psicodrama no glossário de termos terminava com a afirmação de que "o psicodrama pode ser exploratório, diagnóstico, educacional, sociológico e psiquiátrico em sua aplicação" (Haas, 1949, p. 249).

De fato, a referência a "psicodrama didático e dramatização" aparece em 1965 em artigo assinado por Zerka na revista *Group Psychotherapy* e, a seguir, em 1969, no livro da dupla Moreno e Zerka T. Moreno. É importante notar que a primeira referência que ela faz naquele texto "Psychodramatic rules, techniques and adjunctive methods" [Normas psicodramáticas, técnicas e métodos auxiliares] se refere a um "capítulo sobre psicodrama" escrito por Moreno e publicado em 1959 no livro *American handbook of psychiatry* [Manual norte-americano de psiquiatria], no qual Moreno já menciona especificamente o psicodrama didático (Moreno, 1959a, p. 1393).

Na realidade, quase 20 anos antes de o artigo de Zerka ser publicado na revista *Group Psychotherapy* (Moreno, 1965), Moreno já havia incluído, na primeira edição de seu livro sobre o método, em 1946, a seção "Psicodrama na educação", insistindo que "o psicodrama deve começar com a criança", e que "toda escola primária, escola secundária e faculdade deveriam ter um palco de psicodrama como laboratório de orientação para seus problemas cotidianos". Além disso, comentava, "o estabelecimento de unidades psicodramáticas nas instituições educacionais não é apenas viável, mas imperativo neste momento", argumentando que "a crise global, à qual toda a nação está sujeita, afeta a geração mais jovem mais seriamente do que qualquer outro setor da nação" (Moreno, 1961b, p. 200-201).

MORENO E FREIRE: CONVERGÊNCIAS TAMBÉM NA FILOSOFIA

A Filosofia é certamente outro ponto de convergência importante na vida e nas ideias de Moreno e Freire. Já se sabe que Jacob Levy foi aluno dessa disciplina na Universidade de Viena antes de iniciar seu curso de Medicina. Por sua vez, Paulo Freire, formado em Direito, optou pela área de educação e, segundo Ana Maria Araújo Freire, sua segunda esposa e biógrafa, "obteve o doutorado em Filosofia e História da Educação" (Araújo Freire, 2001, p. 17) em 1960, com a qual se tornou professor universitário dessas disciplinas.

E é precisamente a partir da área da filosofia que Ronald B. Levy, professor do Roosevelt College, em Chicago, fornece o que parece ser a explicação mais abrangente do psicodrama e de suas aplicações. Na verdade, o livro publicado por Haas em 1949 inclui o artigo "Psychodrama and the philosophy of cultural education" [O psicodrama e a filosofia da educação cultural], no qual Levy argumenta que "o dualismo cartesiano que separava as mentes dos corpos, as coisas da função, o pensamento da ação", foi no passado "o maior inimigo para a obtenção de um quadro" no qual as diferenças individuais pudessem ser trazidas para um relacionamento frutífero. Afirmando que "os filósofos infelizmente caíram nessa armadilha e limitaram sua participação às fases cognitivas da experiência", e com isso "quase nunca se envolvem na ação", o professor pondera que, se tivessem levado em consideração a totalidade da experiência, "isso teria dado origem a crenças operacionais que, por sua vez, seriam a base para ações intencionais" (Levy, 1949, p. 37).

Para ele, "o termo 'psicodrama' abrange toda a família de habilidades, técnicas e processos que estão envolvidos na dramatização, 'não ensaiada', mas não imprevista, de problemas humanos, a fim de enfrentá-los de forma mais eficaz". Seu entendimento é que o termo não se aplica apenas à dramatização dos problemas da psique individual, nem "ao tratamento do psicopatológico por métodos dramáticos", incluindo aquelas duas áreas específicas "e muito mais". Levy afirma que é nesse sentido amplo que Moreno usa o conceito em seus livros e que, embora os fins específicos para os quais o psicodrama pode ser usado sejam numerosos,

> [...] eles todos podem ser categorizados em três categorias principais – diagnóstico, terapia e educação. Isso não quer dizer que esses fins sejam sempre distintos e separados em qualquer psicodrama. O que isso significa, entretanto, é que um dado psicodrama tem um desenho diferente, dependendo de qual desses fins é seu objetivo principal. (p. 38)

Tentando dar uma definição clara para cada uma dessas três categorias, o professor explica que (1) "o psicodrama diagnóstico pretende ser uma espécie de ferramenta de pesquisa", ou seja, um método pelo qual "indivíduos e grupos podem ser analisados com respeito às suas potencialidades para algum tipo de ação futura". Explicando melhor, Levy observa que:

> Desta forma, uma estimativa pode ser feita sobre a eficiência de funcionamento de um indivíduo ou grupo com relação a alguma situação futura antecipada, ou seja, podemos determinar se um paciente mental está pronto para funcionar adequadamente na sociedade, se um grupo está organizado de forma eficaz e preparada para determinada campanha de ação, ou se um viajante estrangeiro (ou agente secreto) está preparado para participar de forma realista em outra cultura. (p. 38)

No que se refere ao (2) psicodrama terapêutico, Ronald Levy o vê como aquele que "se dirige particularmente à correção de distúrbios funcionais de origem não somática", observando:

> Uma vez que não subscrevemos nenhum dualismo sem sentido entre corpo e mente, isso significa que qualquer transtorno mental pode ser potencialmente tratado dessa forma em indivíduos e grupos. Não tem a ver apenas com a eliminação de uma disfunção real, mas também se dirige à tarefa de antecipar e prevenir possíveis problemas psiquiátricos e sociátricos. Por essa razão, tem a ver com profilaxia, bem como com a terapia atual. (p. 39)

Em relação ao (3) psicodrama educacional, o professor do Roosevelt College comenta:

> Enquanto o psicodrama terapêutico se preocupa com o comportamento patológico e a inadaptação, o psicodrama educacional se preocupa com o controle e a direção do comportamento normal para os objetivos desejados. Como todo psicodrama, é um processo grupal por meio do qual se busca modificar o comportamento existente. Mas é particularmente necessário que o psicodrama educacional tenha uma orientação social, tendo em vista que a educação é uma forma de ação social. (p. 39-40)

Ronald Levy também detalha duas modalidades de psicodrama educacional: o "psicodrama de treinamento", que tem a ver com "a mudança de comportamento de um indivíduo ou de um grupo em relação a uma determinada situação", e o "psicodrama teórico ou didático", definido como "um psicodrama educacional que tem a ver com o ensino de um princípio geral ou de um conceito que mudará indiretamente o comportamento". Como exemplo, Levy comenta um psicodrama que é feito para que professores em formação tomem conhecimento de certos conceitos da psicologia da aprendizagem, percebendo que "a aprendizagem é melhor a partir da participação na discussão exaustiva de algumas ideias, em vez de ouvirmos uma elaborada conferência sobre muitas ideias" (p. 40). Para isso, explica ele, duas cenas consecutivas são dramatizadas em sala de aula, sempre com os mesmos alunos.

Em relação a essas três categorias (diagnóstica, terapêutica e educacional), Levy considera importante ter em mente que nenhum psicodrama atende apenas a um desses propósitos: "num psicodrama de treinamento, tanto a terapia pode ocorrer com frequência, como informações diagnósticas podem ser reveladas". Da mesma forma, acrescenta, um psicodrama diagnóstico "tanto treinará o sujeito como terá valor profilático" (p. 40-41).

As contribuições de Ronald Levy suscitam dois comentários. Primeiro: o que ele chama de "psicodrama diagnóstico" corresponde ao que Moreno, em sua classificação, chamou de "psicodrama experimental", provavelmente porque o médico preferiu reservar o termo (b) "diagnóstico" para a segunda das quatro subcategorias do "psicodrama terapêutico", sendo (a) prevenção, (c) tratamento e (d) reabilitação. A esse respeito, sugiro que se leve em conta a explicação que dei sobre o que Moreno chamou de "sistema geral de métodos psicodramáticos" no livro *Moreno, o Mestre*, p. 289.

Em segundo lugar, é curioso que Levy não cite em nenhum momento os psicodramas cuja principal característica é a dramatização para fins estéticos. Na verdade, o professor canadense Gilbert Tarrab, da Faculdade de Ciências da Educação da Universidade de Montreal, em seu artigo de 102 páginas "Le happening: analyse psycho-sociologique" [O *happening*, análise psicossociológica], publicado em 1968, relatava que Moreno "está atualmente experimentando em seu Instituto de Beacon [...] uma forma de psicodrama não terapêutico, que ele chama de 'catarse estética'" (Tarrab, 1968, p. 73). De fato, numa carta do médico ao professor Tarrab, datada de 6 de dezembro de 1968, Moreno comentou:

> O psicodrama de catarse pela pura arte e expressão nunca repete uma atuação. A apresentação é sempre no aqui e agora e original. No teatro terapêutico pode ser necessário voltar a fazer uma sessão, mas também o refazer não é idêntico ao padrão, é original e espontâneo. (Moreno, 1968, p. 4)

Aliás, já em carta anterior, enviada a Tarrab em 24 de julho de 1968, Moreno fez outro comentário que também é útil para entender sua compreensão sobre as categorias propostas:

> Você me cita corretamente em sua entrevista quando diz que "o psicodrama não começou como terapia, mas como um *happening*: foi o perío-

> do vienense de 1921-1925. Inicialmente, portanto, era uma forma puramente artística – era o 'teatro da espontaneidade'. A terapia veio depois." [...] O psicodrama não é apenas terapia, apesar de ser uma de suas principais dimensões. Nunca parei de lutar por uma renovação do teatro da espontaneidade e da catarse estética. (p. 2)

Nesse sentido, o mais adequado parece ser que o psicodrama para fins puramente artísticos ou estéticos seja incluído na categoria "psicodrama experimental", levando em conta tanto a já mencionada concepção de arte como a experiência de John Dewey, compartilhada por Moreno, quanto à própria etimologia subjacente, pela qual os termos latinos *experientia* e *experimentum* carregam ambos os significados comuns de "ensaio" e "prova" (Mir, 2009, p. 179).

Além das categorias propostas para o método psicodramático, porém, o que deve ser destacado no livro organizado por Robert Haas é a iniciativa estimulada por Moreno de reunir 31 profissionais de diferentes áreas (filosofia, ensino em diversos níveis, medicina, jornalismo, psicologia e sociologia, entre outras) num processo de reflexão e discussão interdisciplinar de suas experiências sobre psicodrama e sociodrama. Além disso, não se tratou de uma iniciativa isolada, mas de uma prática frequente, que resultou em vários livros, como *Group psychotherapy: a symposium* [Psicoterapia de grupo: um simpósio] (1945), *Sociometry and the science of man* [A sociometria e a ciência do homem] (1956) e *Psychodrama second volume: foundations of psychotherapy* [Psicodrama segundo volume: fundamentos de psicoterapia] (1959).

Levando-se em consideração, por outro lado, "a preocupação permanente" de Paulo Freire com a "interdisciplinaridade como prática", "desde os tempos do Recife até suas atividades como secretário de educação em São Paulo" (Andreola, 2010, p. 229), fica evidente o ponto de encontro entre Moreno e Freire no que constitui um dos maiores desafios para a evolução da psicologia e de outras disciplinas científicas: a superação das barreiras setoriais e a busca sistemática dos aspectos comuns, numa perspectiva interdisciplinar.

"MEU PAI ERA MORENU, QUE SIGNIFICA 'NOSSO PROFESSOR'"

Ao final de seu livro de memórias, Zerka retoma um ponto fundamental nas discussões sobre o alcance do método psicodramático, observando: "Provavelmente porque ele tem suas raízes no drama, que existe no mundo todo de uma forma ou de outra, o psicodrama gradualmente encontrou aceitação" (2012, p. 515-516). Além disso, confirmando a posição de seu companheiro de várias décadas, ela comenta: "Hoje o psicodrama, seja qual for o nome ou a aparência, é aplicado não só como terapia, mas também no contexto do autodesenvolvimento na gestão e na educação em todos os níveis, para muitos propósitos" (p. 519).

Quanto ao papel preferido de Moreno ao longo de sua vida, Zerka o deixa explícito na dedicatória pessoal que quis colocar em meu exemplar de *Psychodrama and sociodrama in American education*: "Moreno se considerava um professor" (Haas, 1949, cópia pessoal). Na verdade, como vimos em *Moreno, o Mestre*, seu primeiro emprego para ganhar a vida foi o de tutor, e a função docente, formal ou informal, simultânea à função de psiquiatra, o acompanhou ao longo de toda a sua trajetória, por não menos de 57 anos.

Na verdade, o próprio Moreno procura esclarecer o significado profundo de seu nome ao comentar, num pequeno artigo "sobre a história do psicodrama":

> O nome Moreno costuma ser considerado um nome espanhol ou italiano. Nenhuma das duas suposições está correta. Eu sou um judeu sefardita. Não sou filho de um rabino, embora tenha havido rabinos em minha linhagem. O nome do meu pai era originalmente Morenu Levy; Morenu é uma palavra hebraica que significa "nosso professor". Ele mudou de Morenu para Moreno, e então meu nome passou a ser J(acob) L(evy) [sic] Moreno. (1958, p. 260)

No entanto, a prova mais clara dessa última frase de Zerka na mencionada dedicatória está num fragmento inédito da *Autobiography of a genius* [Autobiografia de um gênio], em que Moreno sintetiza com maestria sua visão do método psicodramático:

> Já dei muitas interpretações do psicodrama. Aqui está outra versão, que pode explicar o choque que frequentemente ocorre nos públicos. Lá estão eles, sentados em cadeiras confortáveis, homens e mulheres de todas as idades e de diferentes etnias, bem-vestidos e bem compostos, bem barbeados e bem penteados, empoados, com batom e ruge, exalando dignidade e segurança.

> Mas agora vem o diretor do psicodrama. O que está tentando fazer? Ele encoraja o público a se livrar de todas as suas inibições bem-preparadas e a remover todas as barreiras entre si. Eles têm uma vaga ideia de que ele quer que ajam como antes, nos primeiros meses de vida, no berço e no berçário. Ele quer que acreditem que nada da essência mudou, que eles são as mesmas crianças que costumavam ser 20, 30 40 anos atrás. Ele quer que acreditem que é fácil, basta descolar as diferentes peles que foram adquirindo aos poucos e que cobrem o âmago do seu ser como um verniz. Conforme o diretor os empurra cada vez mais, a resistência cresce contra seus desenhos cruéis. A vaga lembrança de seu passado inicial volta mais forte. Eles se veem como bebês, nus, desfrutando de sua nudez e empurrando todas as barreiras, coisas e pessoas que estão em seu caminho. Sim, se pudessem tirar suas roupas e vestes, tanto interna como externamente, se pudessem colocar de lado tudo que passaram a ser, sua língua materna, inglês, francês ou alemão, seus costumes, seriam mais desavergonhados, livres de culpa, espontâneos como crianças pequenas. É isso o que ele quer, que sejam crianças outra vez?
> Sim, é incrível dizer, o grande truque funciona, e antes que se deem conta, eles se envolvem e agem como crianças. Mas essa não é a história toda. Não se trata apenas de que sejam crianças de novo. Eles descobriram algo ainda mais divertido. Eles se transformaram em crianças, mas ainda são adultos. É uma transfiguração nova e profunda. O diretor, para libertar suas novas infâncias, ensina-lhes a utilizar várias técnicas, solilóquio, dramatização, jogo de papéis, duplo, espelho, que trazem a sua infância de volta, mas ao nível da maturidade. E com isso vão ganhando algo que alguns pensaram ter perdido para sempre: sua infância. (Moreno, s.d., p. 280-281)

O que seu biógrafo finalmente registra em *J. L. Moreno et la troisième révolution psychiatrique* [J. L. Moreno e a terceira revolução psiquiátrica] é que: “Em 14 de maio de 1974, Jacob L. Moreno morre na presença de sua enfermeira, Anne Quinn, e de um aluno, John Nolte. Zerka, sua companheira, esteve com ele momentos antes. Ele se apaga com calma, com suavidade” (Marineau, 1989, p. 241). Ou seja, até os últimos momentos de sua vida, Moreno esteve acompanhado de representantes de seus dois campos fundamentais de atuação: a terapia e a pedagogia.

5. Da presença à distância: psicodrama virtual ou digital?

MARÇO DE 2020: "MEDO QUASE PÂNICO", "EXTREMA ANSIEDADE E ANGÚSTIA"

"Primeiro o inesperado, o corte da liberdade e da autonomia, seguido do medo. Em alguns momentos, medo quase pânico. Depois vivi privações de contato" – é o que conta Júlia Casulari Motta, na cena 1, "Do medo à esperança de crescer" (Motta, 2021). Logo no início do oportuno livro coletivo *Psicodrama virtual*: *explorando a toca do coelho* (2021), a experiente psicóloga e psicodramatista resume "a história de uma sociopsicodramatista digital-presencial" sem meias palavras: "Por fim, passado o susto inicial, reiniciei um tempo de preparação para tanta mudança. Desse jeito foi comigo e com tantas outras pessoas da minha geração", comenta, mencionando "principalmente mulheres maduras, pouco versadas em mídias e morando sozinhas".

Não foi só isso. Em outro livro coletivo igualmente oportuno, lançado também em 2021, *O drama na tela*: *trajetórias do psicodrama on-line*, os jovens psicólogos e psicodramatistas Daniela da Silva Fernandes e Fillipi Anselmo descrevem uma situação de crise generalizada, a partir de 2020, com a pandemia do novo coronavírus e as inevitáveis mudanças por ela provocadas:

> O isolamento social, o uso de máscaras, o fechamento de grande parte do comércio e dos serviços, a atenção redobrada aos cuidados de higiene, como uso de álcool em gel, a mudança de rotina, o *home office*, a mudança de vida. Contextos escolares, familiares e profissionais precisaram se adaptar a esse novo cenário. Com isso, muitos profissionais da Psicologia precisaram pausar seus atendimentos presenciais; em contrapartida, o contexto era de extrema ansiedade e angústia. Consultórios fechando e a demanda aumentando. Então, muitos psicólogos passaram

a realizar o atendimento psicológico on-line. (Fernandes & Anselmo, 2021, p. 109, itálico no original).

Surpresos com a repentina revolução provocada pela pandemia, os próprios organizadores do 22º Congresso Brasileiro de Psicodrama tiveram que enfrentar o desafio bem-sucedido de promover o primeiro evento digital da história do movimento brasileiro, em outubro de 2020. A esse respeito, em seu artigo "Psicodrama e métodos de ação on-line: teorias e práticas", a psicóloga e psicodramatista Maria da Penha Nery informa que "em alguns sociodramas fizemos aquecimentos do grupo relacionados aos sentimentos vividos durante a pandemia", ressaltando: "Os que mais surgiram foram angústia, medo, solidão e desânimo" (Nery, 2021, p. 111).

Ela comenta também, por exemplo, a respeito da "criação do vínculo terapêutico virtual", teorizando sobre "o fenômeno tele". A seu ver, "no ambiente virtual ocorre a tele virtual, ou seja, a troca intersubjetiva de afetos e escolhas que promovem a cocriação". Uma citação sua procura ilustrar a percepção positiva da mudança: "Uma paciente me diz: 'Quando desempenhamos os personagens ou trabalhamos com os símbolos, eu consigo me rever, aqui na tela do meu celular, e refazer o que me dificulta. Tudo fica menos angustiante'" (p. 110).

Ainda com relação a esse artigo de Maria da Penha, coragem é que não falta à autora para propor conceitos novos, a partir de diversos encontros terapêuticos, "alguns deles utilizando os métodos de ação on-line". Entre esses conceitos, vale a pena identificar pelo menos os de "realidade hipersuplementar", "tele virtual", e "corporalidade condensada", que certamente serão submetidos às provas do tempo e de futuras discussões. Sem entrar no mérito de cada um desses elementos, cabe reconhecer o valor positivo desses exercícios teorizantes, levando sempre em conta que, no caso de certas formulações apresentadas por Moreno ao longo de sua extensa produção literária, são frequentes as sensações de caminhadas sobre areias movediças. Entre elas, por exemplo, é o caso da já mencionada incursão pela socionomia e pela tão propalada e pouco desenvolvida sociatria, a não ser em termos abstratos.

ONDE FOI PARAR O "TESTE DA ESPONTANEIDADE"? E O TAL "ADESTRAMENTO?"

Infelizmente, os leitores em língua portuguesa que não tiveram acesso à edição completa de *Who shall survive?* ficaram sem saber. O que aconteceu foi simples: a mais recente e bem cuidada publicação brasileira *Quem sobreviverá?* foi produzida a partir da "edição do estudante". Moreno – já no final da vida, em 1973 – chegou a discutir com a responsável por esse trabalho, a psicodramatista norte-americana Ann Elisabeth Hale: "Nosso objetivo era transformar a edição de 763 páginas numa versão de 300 páginas, mais fáceis de serem lidas e manejadas", escreve ela em sua "Nota da organizadora" (Hale, 2008, p. 21).

Entre os conteúdos sacrificados nessa edição – acessíveis apenas para os que conseguiram ter acesso ao segundo volume da publicação feita por Moisés Aguiar em 1992 –, destaca-se justamente uma seção sobre "a interação social", na qual Moreno discute "a espontaneidade, a ansiedade e o momento". Nela, ele começa afirmando:

> *A ansiedade é uma função da espontaneidade.* [...] Se a resposta à situação presente é adequada – se há "plenitude" da espontaneidade – a ansiedade diminui e desaparece. *Com a diminuição da espontaneidade vemos o aumento da ansiedade. Com a perda total da espontaneidade, a ansiedade chega a seu máximo, o ponto de pânico.* (Moreno, 1992, p. 199, itálicos no original. Ver também Cukier, 2002, p. 22)

É justamente para "revelar sentimentos em seu estágio inicial e nascente" que Moreno propôs um teste específico, que é tratado, aliás, com riqueza de detalhes pela psiquiatra e psicodramatista Regina Teixeira da Silva em seu artigo "Testes de espontaneidade ou 'treinamento' para a espontaneidade", que aparece no livro coletivo *Técnicas fundamentais do psicodrama* (Monteiro, 1993/1998).

Regina Teixeira começa seu texto com uma afirmação de Anne Ancelin Schützenberger: a de que, "a pedido do exército americano e de grandes empresas industriais americanas, Moreno elabora um método de seleção de quadros pelo psicodrama" (Schützenberger, 1970, p. 137). "Tratava-se de eliminar os sujeitos" – continua Anne Ancelin – "que sofriam de perturbações de adaptação e inaptos para enfrentar as situações novas" (p. 137). Até aí, tudo certo, mas o que Regina agrega – "Assim surge o 'teste da espontaneidade'" – é que pode ser contestado do ponto de vista histórico.

Na realidade, os primeiros testes concebidos por Moreno aparecem ainda em seu período europeu. O que ele registra em *Das Stegreiftheater* [O teatro da improvisação], seu livro publicado em língua alemã em 1923, é que os testes dessa primeira etapa, realizados com crianças em jardins públicos de Viena, "datam de 1911" (Anônimo, 1923; Moreno, 2016, p. 48). Já no continente americano, o psiquiatra começa propondo esse tipo de testes com o título de "impromptu", solução temporária adotada por ele. Em 1928, Moreno redige um folheto de oito páginas, *Impromptu school* [Escola do improviso], no qual propõe um "teste de improvisação" dividido em três partes (imaginação, mímica, personagem). Três anos depois, na revista *Impromptu*, publicada por ele, Moreno faz uma análise do "caso da senhorita X", em que aparece uma descrição esclarecedora sobre essa prova:

> "Por favor, não fale agora", disse o analista, "e vou lhe dizer o que é um teste de improviso. Vou sugerir um papel diferente daquele em que você está agora. Por mais inesperadas e surpreendentes que as condições da nova situação possam ser para você, você tem que atuar a sua parte imediatamente após minha sugestão lhe ser dada". (Moreno, 1931, p. 27)

Mais adiante em sua análise, depois de comentar que "um teste apenas é insuficiente para uma análise do improviso" e que "uma série de testes precisa ser feita", Moreno acrescenta:

> Que uma pessoa emane grande espontaneidade e vigor no processo natural automático da vida, mas falhe quase completamente na situação sugerida de fora, não nos surpreende. Homens e crianças primitivos fazem o mesmo. São excelentes quando seguem sua própria tendência de pensamento em situações reais, nas quais seus próprios impulsos são convocados espontaneamente, mas têm dificuldade em se ajustar a momentos desconhecidos e surpreendentes. Sua imaginação não é elástica, não é suficientemente treinada para condições que estão além das necessidades de sua própria pessoa. (Moreno, 1931, p. 29)

Em seu artigo, Regina Teixeira da Silva reproduz as cinco situações específicas descritas por Anne Ancelin, envolvendo a aplicação dos testes numa suposta situação de incêndio. Primeiro, por exemplo, o psicodramatista pede ao sujeito "que se situe em sua casa e observe minuciosamente o lugar dos objetos", dando-lhe em seguida uma vassoura, para que varra a sala. "Trata-se de ver se o sujeito saberá criar essa situação e varrer realmente, sem se esquecer que varre em sua casa e não num palco circular." Num segundo momento, o psicodramatista diz "que o fogo pegou o quarto das crianças, que estão dormindo". A questão aí é saber se a pessoa "vai permanecer impassível e recusar-se a reagir, enquanto varre, ou se interrompe o trabalho e não sabe adaptar-se à nova situação", atitudes classificadas como "fracassos completos". Já "o êxito consistirá, por um lado, em ocupar-se das crianças e, por outro, apagar o fogo: procurar água, chamar os bombeiros" (Schützenberger, 1970, p. 138-139; Silva, 1998, p. 92).

A psiquiatra dedica mais atenção aos testes do que propriamente ao processo de treinamento, mas essas informações podem ser encontradas com detalhes já na primeira edição de *Who shall survive?* (1934). Nela, Moreno retoma primeiro os antecedentes históricos do início do século XX, quando parte do trabalho do francês Henri Bergson, *Évolution créatrice* [Evolução criativa] (1907). Vem daí, comenta ele,

> [...] nossa tentativa de transformar o *impulso vital* [formulado por Bergson] na realidade da experimentação, no treinamento da personalidade espontânea. O experimento nos obrigou a desenvolver uma psicologia do ato criativo, a reconhecer as limitações do homem como um agente criativo espontâneo e a inventar técnicas de espontaneidade que pudessem levantá-lo para além dessas limitações. (Moreno, 1934, p. 7-8)

Em seguida, tanto na primeira quanto nas duas edições posteriores (mas não na do estudante), Moreno descreve em pormenores as atividades de treinamento ("adestramento", na versão brasileira) da espontaneidade realizadas com as adolescentes do reformatório de Hudson em 1933. Esses conteúdos são retomados, aliás, no primeiro volume do seu clássico *Psicodrama* (Moreno, 1975/2016, p. 181-194). Assim que começa a tratar do assunto, Moreno comenta:

> Foi no ano de 1923 que postulei o seguinte: "O adestramento da espontaneidade será o principal objeto de estudo na escola do futuro." (Ver *Das Stegreiftheater*, 1923, p. 69). Mas raramente é compreendido todo o significado próprio dessa afirmação. Ela é ameaçada pela possibilidade de ser refutada juntamente com o que o rótulo de "Educação Progressista" abrange. (Moreno, 1975/2016, p. 181)

Levando em conta as reações de medo, angústia e pânico observadas mesmo entre os profissionais da saúde mental a partir de março de 2020, logo no início da pandemia, não há como negar o acerto desses últimos comentários do psiquiatra romeno. É certo, como afirma Teixeira da Silva, que "Moreno também utilizava o teste em candidatos à formação para psicodramatistas" (R. T. Silva, p. 91). Mesmo não tendo dados concretos sobre a formação recente de profissionais na área do psicodrama, é inevitável formular a hipótese de que provavelmente não terá sido dada grande atenção a esse "adestramento da espontaneidade".

Fundamental para o desempenho dos psicodramatistas tanto quanto o domínio da filosofia, dos métodos e das técnicas específicas, essa preparação teria certamente minimizado os sentimentos provocados pela irrupção abrupta da pandemia. Numa época de aceleração vertiginosa de mudanças, incluindo as tecnológicas, a necessidade dessa prontidão diante dos imprevistos pode servir de lição aprendida para a formação futura de psicodramatistas, já que parece não ter servido de exemplo positivo no estágio atual.

"UM HOMEM À FRENTE DE SEU TEMPO": GÊNIO OU PIONEIRO?

Difícil encarar o livro coletivo *Um homem à frente de seu tempo: o psicodrama de Moreno no século XXI* (Costa, 2001) sem concordar com seus autores. Agora já se sabe que o próprio Moreno, no entanto, como autor de uma *Autobiography of a genius*, discordava dessa ideia. É o que ele comenta justamente na introdução "Sobre o gênio", publicada por fim em 2019:

> Permitam-me também dizer isto: todo gênio nasce para o tempo em que nasce. Há um ditado sentimental sobre alguns chamados gênios "nascidos antes do tempo". Na verdade, o gênio faz do tempo em que nasce o "seu" tempo. A ideia de que os gênios nascem muito à frente de seu tempo é resultado da noção antiquada de que o gênio é autocriado. Que ele nas-

> ceu num vácuo, de forma milagrosa. É mais correto dizer que um gênio é escravo do tempo, do período em que vive, ainda que por livre escolha, escolha de amor e responsabilidade. É seu total envolvimento com as aspirações e sonhos da humanidade de seu tempo que multiplica suas energias e o impulsiona para realizações ainda maiores. (2019, p. 18)

O que dizer então de toda uma série de invenções realizadas por ele desde seu período europeu, começando pelos jogos de papéis nos parques de Viena, os encontros promovidos com as prostitutas da cidade, os exercícios pré-sociométricos em Mitterdorf, as propostas de teatro da improvisação realizadas no espaço das mulheres artistas, a invenção do disco metálico batizado como "radiofilme", e por aí vai? A resposta dada por Moreno, na continuação do texto acima, é esta:

> Há, sem dúvida, muitos homens que pensam muito à frente de seu tempo, "pioneiros". Eles têm lampejos de ideias que podem ser apreciados séculos depois, mas eu não chamaria um homem assim de gênio. Ele pode ser um homem extraordinário, mas não um gênio. Um gênio chega mais perto de ser um quando atinge a plena realização dos objetivos que concebeu, entregou e cuidou durante sua vida. Se ele deixou o crescimento para a posteridade seguir adiante, para que seu trabalho se tornasse parte permanente da ordem cultural da qual participa, ele cumpriu seu destino. (p. 18)

Quanto a ser pioneiro, portanto, não resta dúvida, evidências é que não faltam, como veremos a seguir. Já com relação à genialidade, será necessário primeiro superar a controvérsia gerada, uma vez mais, pelo próprio Moreno: ao longo de pelo menos duas décadas, desde que começou a preparar sua autobiografia, nosso psiquiatra veio trabalhando com uma concepção amplíssima desse conceito. Apesar de os arquivos de Harvard não registrarem data quanto às diferentes versões desse trabalho autobiográfico, basta consultar a primeira página de uma delas, na qual Moreno esboça uma introdução. Seu primeiro parágrafo:

> Cento e sessenta milhões de americanos que lerão o título deste livro AUTOBIOGRAFIA DE UM GÊNIO poderão dizer: "Não, não, não, quem ousa

> dizer que ele é um gênio? Eu sou tanto quanto ele." Esta não é, então, minha autobiografia, mas a autobiografia de cento e sessenta milhões de gênios. (Moreno, s.d., pasta 1572, p. 1, letras maiúsculas no original)

Dados oficiais do Censo dos Estados Unidos indicam que a estimativa de 160 milhões corresponde ao ano de 1953, ou seja: seu trabalho autobiográfico vinha sendo preparado desde essa época, e a ideia expressada por Moreno era então a de que a genialidade englobava todos os habitantes desse país. Essa mesma concepção, aliás, é confirmada pela veterana psicodramatista Marcia Karp, provavelmente a profissional que por mais tempo conseguiu complementar sua formação com o casal Moreno. Basta ver, a esse respeito, o vídeo "Marcia Karp and J L Moreno: 'I think you are a genius'", confirmando o uso de "gênio" para qualquer pessoa (Karp, 2020).

A controvérsia se instala quando seu próprio filho, Jonathan, anos após a morte do pai, decide não utilizar, como editor do texto autobiográfico de Moreno, o título definido pelo psiquiatra, preferindo um anódino *Autobiografia de J. L. Moreno, médico* (1985), e deslocando a introdução "Sobre o gênio" para o final, como apêndice. Se a isso se acrescenta o que o próprio Moreno estabelece como critérios de genialidade no seu texto introdutório, aí é que a equação não fecha mesmo. Por enquanto, melhor seguir outro caminho.

É MORENO ANTECIPANDO PROPOSTAS E, NO BRASIL, O PIONEIRISMO DE PAMPLONA

Chegamos ao campo das evidências. Numa das versões ainda inéditas de sua *Autobiography of a genius*, Moreno faz o seguinte comentário a respeito de sua chegada a "1925, o Novo Mundo", ou seja, seu desembarque no porto de Nova York:

> Trouxe comigo os três veículos que havia inventado. Eles fizeram mais do que qualquer outra coisa para inaugurar e difundir a sociometria, uma sociologia caracteristicamente americana, nos Estados Unidos: o palco do psicodrama, o sociograma interativo e um dispositivo magnético de gravação de som. Cada um levou a uma revolução de conceitos – o palco do psicodrama, ao ultrapassar o divã psicanalítico, levou às técni-

> cas de atuação, à teoria da ação e à participação do público da psicoterapia de grupo; o sociograma, à pesquisa sistemática de pequenos grupos; o dispositivo de gravação de som, a um método de gravação e reprodução de materiais de casos, a uma nova objetividade, precisão e integridade dos dados. (Moreno, s.d., p. 140)

Pelo que Moreno conta em outro momento de sua autobiografia, aliás, é graças à divulgação feita pela imprensa sobre esse dispositivo que a viagem para Nova York acontece, com financiamento garantido pela empresa General Phonograph Corporation:

> Uma reportagem sobre a invenção apareceu nos jornais de Viena, e a história foi divulgada pelos noticiários. Uma matéria apareceu no *New York Times* de 3 de julho de 1925. Recebemos uma oferta para ir aos Estados Unidos, com nossa invenção, que chamei de "radiofilme". (Moreno, 2014, p. 132)

A propósito de pioneirismo, quem pode merecidamente levar esse título no Brasil é o psiquiatra Ronaldo Pamplona da Costa. Para começar, seu artigo "Telepsicodrama: um sonho de Moreno em pesquisa", incluído ao final do já citado livro *Um homem à frente de seu tempo*, oferece uma síntese abrangente da trajetória do psiquiatra romeno no âmbito tecnológico.

Além do "aparelho destinado ao registro de vozes" desenvolvido "com um cunhado" no período europeu, Ronaldo Pamplona lista as diversas iniciativas com o uso dos meios de comunicação disponíveis nos Estados Unidos (Costa, 2001, p. 189). É o caso do filme mudo de 1933, que o articulista criativamente notifica como intitulado "Treinamento de uma garçonete" em vez do título oficial da película, "Spontaneity training" [Treinamento da espontaneidade] (UQTR, 2003). É também dessa mesma época a realização de "vários programas de rádio", "recorrendo ao teatro espontâneo e ao jornal vivo", no dizer de Pamplona (p. 190).

O que Moreno comenta sobre esse período, com detalhes que tive a oportunidade de documentar em *Moreno, o Mestre* (Guimarães, 2020, p. 269), é que ele e seu parceiro William Bridge tiveram um programa, *Jornal Vivo*, "que foi transmitido na rádio WOR", cobrindo a região metropolitana de Nova York. Curiosamente, Moreno informa também que o conhecido ator e diretor Orson Welles participou de um desses programas em 1933, anos antes de seu famoso programa de rádio, "que seu grupo Mercury Theatre veiculou em 1937, sobre uma invasão em Marte". Segundo Moreno, "o realismo da invasão marciana" teria vindo diretamente "penso, eu, de sua experiência com o 'Jornal Vivo'" (Moreno, 1974, p. 4). Correção necessária: a emissão radiofônica de Orson Welles ocorreu em 30 de outubro de 1938.

Em seu artigo, Pamplona cobre também tanto as incursões de Moreno do ponto de vista teórico, na IX e última seção do primeiro volume de *Psicodrama*, que o psiquiatra dedica aos "filmes terapêuticos", como referências específicas aos vários filmes por ele realizados. Talvez por falta de maiores informações no momento de escrever seu artigo, Ronaldo Pamplona subestima a participação de Moreno no que diz respeito à televisão. Ele afirma, por exemplo, que Moreno "nunca chegou a concretizar aquilo que havia proposto para a TV".

No entanto, no artigo "Spontaneity procedures in television broadcasting with special emphasis on interpersonal relation systems" [Procedimentos de espontaneidade na transmissão televisiva com ênfase especial nos sistemas de relações interpessoais], escrito por Moreno e John K. Fischel e publicado na revista *Sociometry* em 1942, os autores incluem uma nota de rodapé em agradecimento ao diretor executivo do Columbia Broadcasting System, Inc., pela permissão e oportunidade de participarem em várias transmissões de televisão nos estúdios dessa corporação (Moreno & Fischel, 1942, p. 13).

Por outro lado, entre os documentos encontrados nos "papéis de J. L. Moreno" catalogados na biblioteca Francis Countway, em Harvard, há um contrato firmado em 18 de fevereiro de 1952 entre ele e a produtora The Bruce Chapman Company visando tanto à produção de filmes como de programas de rádio e televisão: "Esses programas consistirão numa série de shows de meia hora televisados ao vivo, e serão oferecidos para patrocínio comercial" (Moreno, 1952, p. 17).

Além disso, o livro coletivo *Progress in psychotherapy* [Progresso na psicoterapia], organizado por Moreno e Frieda Fromm-Reichmann, traz a seguinte informação:

> Um programa pioneiro de psicodrama televisivo ocorreu em Paris, França, em 19 de maio de 1955, sob a direção técnica de Robert Cahen, patroci-

> nado pelo Ministério da Informação francês. Foi novamente um problema real retratado por seu/sua protagonista. J. L. Moreno atuou como diretor psicodramático. (Moreno & Fromm-Reichmann, 1956, p. 342)

No ano seguinte, também em Paris, o cineasta italiano Roberto Rossellini "dá início a suas atividades na televisão filmando J. L. Moreno, o inventor do psicodrama", em ação nos estúdios do Centro de Estudos da Radiotelevisão francesa. Essa é a informação proporcionada pelo livro *Psychodrame*: *Roberto Rossellini avec J. L. Moreno* [Psicodrama: R. Rossellini com J. L. Moreno], publicado por ocasião do lançamento do filme *Psychodrame*, de cinquenta minutos, em preto e branco, em maio de 2019. Pelo que conta o cineasta italiano Sergio Toffetti em seu artigo "Um filme encontrado", durante mais de sessenta anos "os materiais ficaram onde deveriam estar: classificados, indexados e armazenados nos arquivos da instituição que herdou os materiais da televisão pública francesa". Toffetti ainda se pergunta "Por que ninguém nunca notou esse pequeno tesouro escondido?" (2019, p. 27), mas essa já é outra história.

Toda essa trajetória pelas contínuas incursões de Moreno no uso das mais modernas tecnologias disponíveis permite confirmar o papel histórico determinante do criador do psicodrama moderno na utilização desses recursos. Ainda que não tenha obtido grande sucesso a curto e médio prazos, Moreno persistiu em seus esforços em mostrar "o caminho de uma nova era".

Basta retomar comentários feitos por ele em seu filme de 1964. Depois de argumentar que "tratar as pessoas [individualmente] é economicamente impossível, e também muitas vezes não é indicado do ponto de vista do seu valor terapêutico", Moreno sustenta que, "utilizando os meios de comunicação de massas, especialmente a televisão, abre-se um novo caminho para a psicoterapia". E complementa: "O futuro nos mostrará como o cinema, a televisão, a entrevista, por meio do psicodrama, poderão se estabelecer em toda parte" (Moreno, 2020).

Voltando ao pioneirismo de Ronaldo Pamplona, com o apoio de Carlos Borba: ele conta que, desde janeiro de 1980, começou a utilizar um videocassete de mesa e uma câmera, e que o resultado dessa experiência, "com o título de *Videopsicodrama*, foi publicado numa edição bem simples, custeada pelo autor, e que vinha acompanhada de uma fita de psicomúsica, com direção da psicodramatista Martha Figueiredo" (Costa, 2001, p. 194). Segundo ele, esse trabalho de pesquisa tinha sido desenvolvido durante meses "com um grupo formado por vários psicodramatistas, que denominei Grupo Experimental de Videopsicodrama", acrescentando que "foi o primeiro passo na direção do estudo do telepsicodrama".

O próprio Ronaldo conta que "em 1984, após uma experiência positiva de quase 400 horas de videogravação", escreveu um artigo intitulado "Telepsicodrama", no qual apresentava "uma proposta para a realização de uma série piloto de psicodrama em circuito aberto de tv". Resultado? "Esse texto continua inédito até hoje [2001], talvez por se tratar de uma proposta avançada demais para a época" (p. 195).

Oito anos antes, Pamplona já tinha publicado um artigo – "Videopsicodrama" – como parte do já citado livro coletivo *Técnicas fundamentais do psicodrama* (1993). Nesse texto, o psiquiatra oferece um panorama histórico de suas experiências videodramáticas, informando que, a partir de abril de 1980, quatro grupos trabalhando com ele "passaram a ter suas sessões gravadas uma vez por mês, durante dezoito meses", e que esse trabalho resultou "em mais de 100 videopsicodramas, que somente foram exibidos para o público que os produziu e utilizados para nossos estudos". Motivo? "Por questões éticas, jamais foram exibidos, e nem o serão, para qualquer outro público" (1993, p. 133). Mais adiante, Pamplona volta ao problema, no âmbito terapêutico, quanto à "aceitação e permissão dos pacientes", acrescentando: "Aqui importa a questão do sigilo e da ética profissional" (p. 137).

MORENO, O SIGILO PROFISSIONAL E "A CRISE DO JURAMENTO HIPOCRÁTICO"

A prática do psicodrama digital traz de volta um problema antigo, que Moreno já havia não só discutido, mas para o qual tinha até proposto uma alternativa de solução desde 1955. Num artigo de dois parágrafos, publicados no periódico *Group Psychotherapy*, com o título de "Crise do juramento hipocrático", o psiquiatra afirmava:

> A mais estrita privacidade no consultório do médico e a proibição cuidadosa de qualquer coisa espetacular e expositiva tem sido a estratégia unanimemente aceita da profissão médica em todo o mundo desde o

> tempo de Hipócrates – e com razão – pelo menos para os métodos convencionais dedicados ao tratamento de doenças físicas e mentais. No entanto, a psicoterapia de grupo e o psicodrama mudaram tudo isso; provocaram uma revolução psiquiátrica. Esse processo de cura (catarse) não acontece na sala isolada de um consultório médico – acontece no grupo, no meio da comunidade. (Moreno, 1955, p. 357)

Tendo em vista essa mudança revolucionária, Moreno propunha um novo texto para "o juramento do grupo", nos seguintes termos:

> Este é o juramento do grupo para a ciência terapêutica e para seus discípulos. O que quer que aconteça na mente dos pacientes no curso das terapias de grupo e das sessões de psicodrama, na mente do médico com relação aos transtornos do paciente, eu-ele-eles, não devemos manter nada em segredo dos outros. Devemos divulgar livremente o que pensamos, percebemos ou sentimos pelos outros; temos que atuar os medos e as esperanças que temos em comum e nos purificar deles. Este juramento permanecerá inviolado e poderá nos ser dado para desfrutar a vida e a prática da arte da psicoterapia de grupo e do psicodrama, e ser respeitado por todos os homens, em todos os tempos. (p. 357)

Dois anos depois, Moreno publica a monografia *Code of ethics for group psychotherapy* [Código de ética para a psicoterapia de grupo], com mais pormenores sobre o tema. Em 1959, em seu livro escrito originalmente em alemão, *Gruppenpsychotherapie und Psychodrama* [Psicoterapia de grupo e psicodrama], retoma o assunto, argumentando que "tal juramento não deve ser pronunciado de maneira forma, ritual", uma vez que "isso seria antipsicológico e estaria em contradição com o caráter espontâneo da sessão de psicoterapia de grupo" (Moreno, 1999, p. 18).

Pelo visto, mesmo com todos esses matizes, sua proposta terá caído praticamente no vazio. Se você se der ao trabalho de consultar o tema no motor de pesquisas do Google, tanto em inglês como em português, poderá constatar: ao contrário do que ocorre normalmente com esse tipo de consulta, onde a quantidade de respostas costuma acontecer em grande número, os resultados aí são, quando muito, dois ou três.

A propósito, o próprio Moreno chegou a explicar o fenômeno, num tópico intitulado "Resistência contra o psicodrama", incluído numa das versões inéditas de sua autobiografia:

> Quando a psicanálise começou a se tornar uma força social, a resistência contra ela foi explicada como devido a um ressentimento contra uma teoria que atribui motivos sexuais mesmo às aspirações mais elevadas. A resistência ao psicodrama tem diferentes razões. É a maior ameaça ao ego individual já surgida. Problemas privados são atuados em público, propriedades psicológicas privadas, experiências do tipo mais íntimo, que sempre foram consideradas como a última ancoragem da identidade individual, são instadas a serem abandonadas ao grupo. O indivíduo é instado a enfrentar a verdade de que essas experiências não são realmente "suas", mas propriedade psicológica pública. Essa perda de toda suposta individualidade não pode ser abandonada sem luta. O indivíduo é instruído a sacrificar seu esplêndido isolamento, mas não tem certeza se o psicodrama poderá substituir seu investimento. (Moreno, s.d., p. 65)

Mais de 60 anos depois da proposta inicial feita por Moreno, as resistências ao chamado sigilo profissional – a confidencialidade – continuam presentes, mesmo no âmbito digital. Um exemplo concreto: para poder se inscrever como participante de conferências internacionais promovidas pelo inovador International Tele'Drama Institute, criado pela psicodramatista Daniela Simmons, foi necessário concordar com uma cláusula de confidencialidade, exigida mesmo se tratando de atividades públicas, de caráter educativo, e não estritamente terapêutico.

Quando questionei a respeito, mencionando o artigo de Moreno, Daniela Simmons lembrou que esse texto tinha sido escrito em 1955, e que "muita coisa mudou desde então". Argumentou que seu instituto está obrigado a seguir os requerimentos oficiais estabelecidos nos Estados Unidos, ou seja, "a pedir confidencialidade, e que os participantes não tirem fotos durante as partes de ação nas vivências" (Simmons, 21 de agosto de 2021, comunicação pessoal via e-mail).

Criado por Daniela Simmons, Tele'Drama é "um método para oferecer treinamento de psicodrama e outros métodos de ação, aconselhamento e outras intervenções, usando uma abordagem de videoconferência online". Segundo ela, esse método foi gradualmente desenvolvido e experimentado desde o outono de 2017, mas seu impacto passou a ser notado internacionalmente a partir da pandemia do coronavírus (Ver a série de cinco vídeos que produzi sobre essa iniciativa: Guimarães, 2020a).

ENTRE A CONFIDENCIALIDADE, A FOFOCA DE GAIARSA E "O SEGREDO DE POLICHINELO"

Retomando a questão do juramento proposto por Moreno, um dos poucos que trataram desse tema no Brasil foi o psiquiatra Antonio Carlos Cesarino, em seu artigo sobre "A questão do sigilo nos grupos psicodramáticos", inserido no livro coletivo *A ética dos grupos*: *contribuição do psicodrama* (2002).

Depois de analisar a posição de Moreno, que já nos anos 1950 fazia referência "ao uso da mídia como veículo de terapia (coletiva, embora ele não diga), que criaria outra ordem de problemas em relação ao sigilo", Cesarino chama a atenção para "a ênfase dada, no meio psiquiátrico e psicológico, à questão do sigilo". Em seguida, ele próprio levanta a pergunta: "Por que o segredo é considerado tão importante?" E pondera:

> Não negamos a possibilidade que certas revelações podem de fato ter consequências pelo menos desagradáveis, mas estamos pensando se a maioria desses segredos não faz parte dos preconceitos e das hipocrisias que constituem o caldo de cultura desse jeito infeliz de existir de numerosas pessoas em nossa cultura "ocidental cristã". (Cesarino, 2002)

Esta é a sinopse de um vídeo gravado com o psiquiatra um ano antes da pandemia:

> **É segredo? O sigilo e o uso da mídia em psicodrama – o que pensa Cesarino (2019)**. Guardar segredo era sagrado, comenta o experiente psiquiatra brasileiro Antonio Carlos Cesarino. Até que aparece o criador do psicodrama moderno, dr. Jacob Levy Moreno, propondo exatamente o contrário. Cesarino explica essa mudança, em que o profissional aceita dividir o poder com o grupo: "Aí o cara sai entusiasmado, chega em casa e conta pra mulher". Afinal, o que é público, o que é privado? Aí entra

também o uso da mídia, que o próprio Moreno recomendava, fazendo: rádio, cinema, televisão, e por aí afora.

Ao final desse vídeo, aliás, Cesarino comenta positivamente o caráter utópico dessa e de outras propostas do Moreno, inclusive a ideia de que "o psicodrama pretende, através de muitíssimas revoluções, chegar à grande revolução do futuro". Mas acrescenta: "Não é o caso atual, porque toda a mídia está tomada pelo comércio, pela grana, pela propaganda, pelo lucro que vai dar aquele filme, etc., etc. No momento, o grande deus é o dinheiro" (Cesarino, 2019).

A propósito dessa evolução histórica, o que pude observar, em mais de 27 anos de trabalho nas Nações Unidas, é que a prática do "secreto" ali já não acontece. Ao contrário de várias administrações bilaterais, como a brasileira ou a norte-americana, o que se pratica na ONU é o "confidencial". Por outro lado, é importante notar que uma rápida consulta a um dicionário latino traz o seguinte, com relação ao primeiro conceito:

> **sēcrētus, a, um,** p. de *secerno* ¶ ADJ.: separado, apartado, afastado, solitário, isolado || particular, especial, distinto || secreto, escondido, oculto ¶ **-um** *-i* n.: lugar retirado, apartado || segredo, palavras secretas || mistérios [culto]. (Mir, 2009, p. 458)

Já quanto ao segundo, o adjetivo "confidencial", a derivação vem diretamente do termo latino

> **confidentia** -æ f:. esperança firme, confiança em si mesmo || ousadia, descaramento, insolência. (Mir, 2009, p. 100)

Em que pesem os matizes que possam decorrer de diferentes acepções de ambos os termos, a confidencialidade envolve uma relação de confiança que se estabelece ou não, em maior ou menor grau, entre a pessoa que detém determinada informação e as demais. É o que pode influir na decisão de compartilhar ou não tal conteúdo, enquanto o carimbo "secreto" estabelece indiscutível noção de mantê-lo oculto, escondido. Acontece que, como o próprio Moreno insiste, o psicodrama trata justamente de fazer com que elementos ocultos sejam *descobertos*, no sentido próprio desse último termo.

Esse ato de descobrir, aliás, ocorre não apenas nas ações psicodramáticas, mas também por meio de testes sociométricos e de métodos auxiliares ao psicodrama, como no caso da "improvisação para avaliação da personalidade". É o que Moreno e Zerka comentam em *Psicodrama: terapia de ação & princípios da prática*:

> Pode-se inventar numerosas situações-padrão, as quais permitem ao diretor e aos membros do grupo obter um perfil da ação potencial da pessoa, o que não seria possível descobrir com uso de testes de papel e lápis. (Moreno & Moreno, 2006, p. 392)

Sem pretender aprofundar o que o psiquiatra José Ângelo Gaiarsa formulou como *Tratado geral da fofoca: uma análise da desconfiança humana*, vale a pena dar uma olhada no que o saudoso psiquiatra, pioneiro da psicoterapia corporal no Brasil, tratou como tema num de seus livros. Segundo Gaiarsa, "a única escola de pensamento contemporânea que dá muito valor à fofoca é a Orgonomia – a ciência que [Wilhelm] Reich fundou". Nela, comenta o psiquiatra, "sob o nome de PESTE EMOCIONAL, é estudado tudo que as pessoas inibidas, quadradas e retidas fazem contra todos os que se mexem, vivem e fazem coisas" (Gaiarsa, 1978/2015, p. 9-10, maiúsculas no original).

Além disso, afirma Gaiarsa, a respeito do que ele considera "o mais fundamental dos fatos humanos", a fofoca é "claramente a maior rede pública secreta". E mais:

> Temos mil vontades que os outros dizem não ter, não compreender nem aceitar – principalmente em matéria de amor, sexo e amor-próprio. Mas temos também muitos caprichos absolutamente inofensivos que não realizamos porque eles seriam tidos como ridículos ou coisa de criança.
> Então nos contemos, nos mutilamos. Só mostramos e realizamos o que convém, o que é permitido e bem-visto.
> A outra metade fica escondida, fechada. [...]
> Seremos uma poderosa multidão de meias-pessoas, todos guardando para si seus sonhos e anseios mais fundos, mais queridos e mais inocentes.
> Até aí, tudo muito trágico e terrível. Mas normal, muito normal.
> Na verdade, a própria normalidade.

> Só há um pequeno erro na história (é História – a própria, a História do Ódio Humano).
> O QUE A GENTE ESCONDE NÃO MORRE NEM DESAPARECE.
> [...]
> Que fazer com o porão cada vez mais cheio de coisas estranhas que continuam crescendo, crescendo, crescendo...? Fofoca, é claro. (Gaiarsa, 1978/2015, p. 47-48, maiúsculas no original).

Para terminar, é o próprio psiquiatra quem faz o alerta: "Todos sabem que é assim, mas nenhum *autor sério* ousa tratar do assunto". Segundo Gaiarsa, "muitos cientistas experimentarão um arrepio pelo corpo e uma sensação imediata de ridículo só em pensar numa tese de sociologia sobre fofoca". Para ele, o que há é que "sentem medo de que seu trabalho se faça objeto de fofoca de seus confrades" (2015, p. 13). Ou seja: por essa e por outras é que o tal segredo, muitas vezes, acaba indo para as cucuias, ou se transformando no chamado "segredo de Polichinelo".

Quanto a essa expressão – frequentemente usada para designar informações que deveriam ser secretas, mas que acabam sendo de conhecimento geral –, quem expõe o problema de maneira precisa é o médico, psicanalista e filósofo italiano Emilio Mordini. No editorial do periódico mensal *Bioethics*, publicado em outubro de 2011 sob o título de "Pulcinella secrets" [Segredos de Polichinelo], Mordini começa caracterizando Polichinelo como um dos mais antigos personagens cômicos da *commedia dell'arte*: "é o servente preguiçoso estereotipado, insolente e chauvinista, às vezes estúpido, às vezes inteligente, sempre sem dinheiro, e absolutamente incapaz de guardar qualquer segredo", comenta o editorialista, acrescentando que, num enredo típico da *commedia*,

> [...] o mestre revela um segredo para Polichinelo, que está sob o juramento de nunca divulgá-lo. Desnecessário será dizer que, depois de jurar que nunca o divulgará, Polichinelo logo atua de forma bem diferente, contando o segredo a todos os que encontra. No entanto, cada vez que Polichinelo revela o segredo, pede total sigilo, fingindo que ninguém mais sabe. Mais cedo ou mais tarde, todos os personagens no palco ficam sabendo do segredo, mas nenhum deles sabe que todos os outros sabem. Eventualmente cada um se comporta como se fosse o único repositório

do segredo, enquanto o único segredo é que não há segredo nenhum. (Mordini, 2011, p. II)

Daí, conclui ele, que "muitas vezes penso no segredo de Polichinelo, hoje em dia, quando alguém evoca o 'segredo médico'". O psicanalista italiano argumenta, por outro lado, que hoje, na maioria dos países ocidentais, "informações de saúde podem ser divulgadas para o público" eletronicamente e que, "como consequência, os sistemas de controle de acesso a dados médicos eletrônicos são projetados de forma que podem ser sempre invadidos". Ou seja, "são portas que podem ser facilmente destrancadas por uma série de atores públicos e privados sem consentimento dos pacientes, e até mesmo sem sua consciência" (Mordini, 2011, p. II).

"Se seus dados estão online, não são privados", continua o médico, citando o tecnólogo Bruce Schneier. Na era pós-Wikileaks, afirma, a maioria, se não todos, são segredos de Polichinelo, incluindo os segredos médicos. No entanto, garante Mordini, "seria enganoso concluir que os segredos de Polichinelo são apenas falsos segredos, uma paródia de confidencialidade". Ao contrário, "Polichinelo nos ensina que o que torna um segredo relevante não é o fato de ser verdadeiramente secreto, mas a maneira como afeta e molda a ação social". Ou seja, o que realmente conta "não é o sigilo *per se*, mas quem controla os fluxos de informação e possui os dados". E, finalmente, pergunta Mordini: "será que bioeticistas estão prontos para aceitar esse desafio, em vez de insistir em defender a fortaleza vazia da 'confidencialidade médica'"? (Mordini, 2011, p. III).

MAS, AFINAL, É PSICODRAMA VIRTUAL OU DIGITAL?

Pode parecer mero detalhe semântico, mas uma distinção conceitual entre os dois adjetivos merece aclaração porque, na realidade dos fenômenos psicodramáticos, correspondem a noções diferentes. Mesmo que uma delas seja mais utilizada na linguagem corrente, essa preferência merece ser objeto de uma explicação racional, do ponto de vista técnico, com relação ao psicodrama.

Recentemente, quem se deu ao trabalho de discutir essa questão foi o administrador e psicodramatista Alan Dubner, em seu artigo sobre "Psicodrama virtual", apresentado como cena 2 do livro homônimo já citado (2021). Obviamente, a escolha de Alan vai para o termo que, etimologicamente, "vem do latim medieval Virtuale e do latim Virtus, que significa Virtude, Força ou Potência". No psicodrama, argumenta ele,

> [...] sabemos muito bem da virtude, força e potência do virtual em cada sessão. Conversamos com uma mãe já falecida, somos um esquilo trabalhando num circo, um olhar de um sofá do passado, um encontro com um neto de um filho que não nasceu, uma escultura em busca de uma palavra ou mesmo um som... sabemos por experiência a força real do virtual. Portanto, o Psicodrama lida muito bem com o virtual e essa é a maravilhosa possibilidade da vertente desse, ainda desconhecido, Psicodrama Virtual. (Dubner, 2021, p. 36)

Seus argumentos a favor do virtual são vários, e a partir daí Alan vai analisando a "terapia virtual – antes e depois da pandemia" e a própria "Jornada do Psicodrama Virtual", começando "com J. L. Moreno nos anos 1940 falando claramente de atendimento a distância". Aí entram os experimentos que o próprio Alan menciona quando, "em 2003", ele próprio começou "a explorar as possibilidades do uso de recursos externos para ampliar a percepção da cena" (p. 40). Certo? Como ele mesmo diz, "percebam que não tem resposta errada, ao mesmo tempo é difícil buscar uma definição clara" (p. 36).

Erro não há, mas basta consultar a literatura especializada para encontrar elementos que apontam em direção diferente. No livro coletivo *Supervision in psychodrama: experiential learning in psychotherapy and training* [Supervisão em psicodrama: aprendizagem experiencial em psicoterapia e treinamento], por exemplo, Mauricio Gasseau e Leandra Perrotta assinam o artigo "The Jungian approach in situ supervision of psychodrama" [A abordagem junguiana na supervisão *in situ* do psicodrama]. Nele, apresentam a seguinte definição:

> As cenas virtuais são consideradas aquelas em que eventos ou relações nunca aconteceram de fato na vida ou nos sonhos do protagonista. Estes incluem o encontro com um antepassado que o protagonista nunca conheceu – uma cena chave no psicodrama transgeracional (Perrotta, 2011) – ou o encontro com um amigo ou parente que faleceu recentemente. (Gasseau & Perrotta, 2013, p. 48)

Essa não é a única referência que esses autores fazem. Mais adiante, eles afirmam que "uma cena virtual também pode retratar a antecipação de um evento importante ainda por vir: uma entrevista de emprego ou uma declaração de amor" (p. 49). No mesmo livro, no artigo "Supervision: a triangle of drama in transition" [Supervisão: um triângulo de drama em transição], a psicóloga e psicodramatista Judith Teszáry comenta: "Acontece até que enquanto estou conversando com a/o diretor/a, a/o protagonista passe por uma catarse enquanto vivencia a cena específica na fantasia. Chamamos essas cenas imaginadas de 'dramas virtuais'" (Teszáry, 2013, p. 133).

Poderíamos recorrer a outros autores para demonstrar o uso do termo "virtual" para caracterizar um fenômeno que ainda não foi concretizado, continuando na mente da pessoa que participa (ou não) de qualquer psicodrama. É o que acontece, por exemplo, quando o simples atender a uma consigna de aquecimento, o assistir a uma cena em ação, ou o compartilhar com os demais uma reação existencial ao que acabo de presenciar, provocam em mim a evocação de algo que pode vir a ser eventualmente objeto de uma futura dramatização. Não resta dúvida, portanto, de que "virtual", em termos psicodramáticos, remete a esses fenômenos psicológicos em estado "seminal", quer aconteçam presencialmente, quer ocorram através de meios de comunicação utilizados para superar dificuldades criadas pela distância física. Neste último caso, é quando entra o recurso do psicodrama digital.

DA TELEPSICOLOGIA AO TELEPSICODRAMA NO BRASIL: PODE?

Apesar da natureza multidisciplinar definida pelo próprio Moreno ao desenvolver tanto a filosofia quanto a história do psicodrama moderno – caracterizando seus três ramos principais como exploratório/experimental, terapêutico e didático/educativo respectivamente, como tive a oportunidade de demonstrar em *Moreno, o Mestre* (Guimarães, 2020, p. 289) –, o fato é que a maior parte dos testemunhos já divulgados a respeito da modalidade digital tem partido de psicólogos e psiquiatras, enfatizando sobretudo suas experiências no âmbito terapêutico.

Essa tendência, observada tanto no Brasil quanto no exterior, não se restringe a esse período emergencial, mas parece ter se imposto como dominante no movimento psicodramático internacional. Ainda assim, mesmo levando em conta essa dupla limitação (psicológica e terapêutica), é importante recolher os primeiros indícios de como essa categoria profissional tem se comportado, tanto do ponto de vista de seus praticantes quanto das instituições que regulam o seu funcionamento.

Diga-se de passagem: foi o próprio Moreno quem, confessadamente, começou esse processo de liderança, transferindo seus experimentos para o campo da saúde. Como já tive a oportunidade de demonstrar ao final do primeiro capítulo, ainda em Viena ele foi constatando que seus melhores discípulos flertavam "com o clichê inclusive quando atuavam improvisadamente", e que acabaram se afastando "do teatro da espontaneidade para o palco convencional ou se tornaram atores de cinema". Diante desse dilema, confessa, "me dirigi 'temporariamente' ao teatro terapêutico", observando que foi essa "decisão estratégica que provavelmente salvou o movimento do *Stegreiftheater* do esquecimento" (Ver o último segmento do cap. 1).

Se a essa declaração acrescentarmos outra, também de Moreno, o argumento se completa. É o que ele afirma em seu *O teatro da espontaneidade*, informando que "o teatro do psicodrama tem origem no teatro da espontaneidade, o qual de início nada tinha que ver com terapia" (Moreno, 1947, p. 99; 2012, p. 145). Também é fato que, depois de ter tentado durante dez anos introduzir e consolidar seus instrumentos fora do âmbito terapêutico nos Estados Unidos, suas experiências só ganharam estabilidade a partir de 1936, ao abrir seu teatro de psicodrama dentro do sanatório de Beacon. A partir daí, mesmo insistindo em que os métodos psicodramáticos incluíam as três vertentes, foi dentro do campo da saúde mental que surgiram as lideranças do movimento psicodramático, tendência que persiste até o momento.

Seja como for, é a psicóloga e psicodramatista Heloísa Junqueira Fleury quem aporta as melhores luzes sobre a situação do psicodrama na área da psicologia nacional. No editorial "Psicodrama e as especificidades da psicoterapia on-line", publicado em 2020 pela *Revista Brasileira de Psicodrama*, Heloísa começa situando "o uso de tecnologias de telecomunicação para atendimentos psicológicos por meio de telefone, videoconferência, aplicativos móveis e programas baseados na *web*" (Fleury, 2020, p. 1) como *telepsicologia*, em conformidade com as diretrizes da Associação Psicológica Norte-Americana (APA, na sigla em inglês).

Sua breve introdução permite confirmar, por um lado, a adoção do prefixo "tele", seguindo os passos do psiquiatra romeno, apesar de sua observação – sobre "quando Moreno, ainda na década de 1920, fez experiências com rádio, televisão e cinema" – merecer reparos quanto às décadas e à ordem dos meios (melhor 1930/40, e cinema antes dos outros dois). Por outro lado, reconhece merecidamente o pioneirismo de "Pamplona da Costa (2005), juntamente com Carlos Barbosa", por suas contínuas experiências na gravação de videopsicodramas e telepsicodramas.

Já quanto à pergunta formulada por Heloísa Fleury, sobre se "podemos emprestar o termo telepsicodrama para o atendimento psicoterapêutico on-line", a resposta só pode ser positiva, desde que não se restrinja o uso do termo ao âmbito estritamente terapêutico.

É também graças à síntese editorial de Heloísa Fleury que logramos tomar conhecimento mais preciso sobre a postura (conservadora, acrescento) do Conselho Federal de Psicologia, que em 2000 vetou o uso do "atendimento terapêutico mediado pelo computador, por ser uma prática ainda não reconhecida pela psicologia, exceto em projetos de pesquisa", permitindo em 2012 "o atendimento do cliente temporariamente em trânsito ou impossibilitado", e só em 2018 autorizando com restrições "essa modalidade de atendimento".

Para além da ênfase dada por Heloísa – a gente acadêmica, mesmo psicodramatistas, prefere tratar as pessoas sempre pelo sobrenome, inclusive eu, às vezes, já repararam? – aos aspectos técnicos da formação de psicoterapeutas, "extensa, porém com pouca atenção às particularidades da telepsicologia", é evidente à necessária atenção dada aos aspectos éticos. Bem-informada, a editorialista menciona o trabalho realizado por Julia Stoll, Jonas Müller e Manuel Trachsel, pesquisadores do Instituto de Ética Biomédica e História da Medicina, Universidade de Zurique, Suíça. Dos 24 argumentos levantados a favor da psicoterapia online e dos 32 contra, ela apresenta equilibradamente cinco de cada lado. Entre os positivos, destacam-se "o maior acesso à psicoterapia" e a "disponibilidade e flexibilidade dos atendimentos", enquanto entre os negativos aparecem justamente "questões de privacidade, confidencialidade e segurança", além da "competência do terapeuta e a necessidade de treinamento especial" (p. 2).

Mais adiante, os desafios e obstáculos da modalidade online ocupam grande parte da atenção de Heloísa. Entre esses últimos, alguns "muito úteis para essa transição da sessão psicodramática para uma prática temporariamente denominada telepsicodrama", a ênfase recai sobre os apresentados pelo psicólogo Haim Weinberg, do Departamento de Psiquiatria da Universidade da Califórnia, num webinar sobre o tema. Interessante observar que o primeiro deles refere-se "à perda do controle sobre o *setting* terapêutico, que passa a ser opção do cliente e ficar sob sua responsabilidade". Já o segundo seria "a ausência da comunicação e da regulação de afeto, que ocorrem por meio da presença somática, física e emocional, o que torna mais difícil criar um ambiente acolhedor". Exemplo? Segundo Heloísa, "Weinberg (2020) destaca que a parte mais vista online é o rosto, mais visível e próximo do que no atendimento presencial, o que exige um treinamento do psicoterapeuta para observar alterações na expressão facial" (p. 3).

Heloísa Fleury segue nesse sentido, opinando acertadamente que "a criatividade será mais produtiva quanto mais estiver apoiada nas especificidades desse novo *setting* terapêutico". Como conclusão, a editorialista volta ao psiquiatra de Beacon, informando que "os relatos em fóruns de discussão apontam, como perspectiva futura, a atualização, no século XXI, do ideal de Moreno de utilizar mídias de comunicação como instrumento para tratar a humanidade" (p. 3). Quem sobreviver verá.

ENFIM, O QUE HÁ DE ESPECÍFICO NO PSICODRAMA DIGITAL?

Com sede em Berlim, a "Associação de Psicodrama para a Europa e.V." existe desde 1989. Criada três meses depois da queda do famoso muro, ela reúne atualmente sete organizações de cinco países: Alemanha, Lituânia, Polônia, Romênia e Ucrânia. E foi a partir de trabalhos de membros dessa instituição que foi publicada uma das mais recentes contribuições à compreensão do chamado psicodrama digital: *Possibilities and limitations of psychodrama online* [Possibilidades e limitações do psicodrama online] (2022), organizado por Manfred Jannicke, Gerda Mävers e Johanna Olberding. De acordo com os dois primeiros, "desde a sua fundação, a associação vem trabalhando sem fins lucrativos para estabelecer o psicodrama, especialmente em países europeus onde esse método ainda não foi institucionalizado" (Jannicke & Mävers, 2022, p. 5).

Antes da pandemia atual, dizem os dois editorialistas, a anterior tinha sido a da gripe espanhola, que atingiu a humanidade "antes do desenvolvimento do psicodrama por Moreno" e, obviamente, "antes do início da interconectividade do mundo através de uma versão inicial da internet por [Vinton] Cerf e [Robert] Kahn na década de 1970". Segundo eles, "foi a primeira vez que a pandemia, o psicodrama e a internet se encontraram" (p. 5).

Na realidade, foi em março de 2021 que essa associação enviou um convite para os psicodramatistas que se interessassem em compartilhar suas experiências e posições sobre o psicodrama online: "Você veria isso de forma mais positiva, como um ganho metodológico e uma nova etapa de ação? Ou você prefere ficar perto do polo oposto, duvidando se a renúncia à fisicalidade permite mesmo que a palavra 'psicodrama' seja usada para isso?" (p. 6). O que o livro apresenta, portanto, é uma antologia das respostas obtidas por escrito, reunindo – pela ordem – participantes da Ucrânia, Polônia, Rússia, Alemanha, Cazaquistão e Romênia.

Os editorialistas insistem quanto ao fato de que "nossa coleção de textos não é uma coleção científica" (p. 7), o que não constitui um problema, uma vez que o psicodrama tampouco pode ser considerado uma área que privilegie a ciência em detrimento da arte. Assim, os resultados que trazem são reconhecidamente diversos. No entanto, comentam Manfred Jannicke e Gerda Mävers, "há uma coisa em comum: todos os autores enfatizam a importância das condições geralmente prevalecentes para a decisão dos psicodramatistas sobre se, para que e como o psicodrama é utilizado online" (p. 8).

A psicodramatista romena Simona Vlad, por exemplo, a partir de suas mais de 400 horas de trabalho psicodramático online desde março de 2020 através da plataforma Zoom, enfatiza entre os desafios:

> 1) A relutância geral em relação a ferramentas técnicas, uma vez que "a maioria dos que são atraídos pelo psicodrama são pessoas com interesses humanísticos, e não técnicos".
> 2) Segurança e privacidade, informando que, para lidar com essa preocupação, um cartão de instruções com "regras básicas para participar de um grupo de psicodrama" é enviado por e-mail antes do grupo, com aspectos como: encontrar um local seguro, usar fones de ouvido se houver mais alguém na casa, nunca gravar nada, etc.
> 3) A dinâmica de grupo: "O que achamos útil é a instrução de que todos os membros mantenham suas câmeras ligadas, durante toda a sessão, certificando-se de que uma fonte de luz torne seu rosto visível". (p. 85)

Já a psicóloga e formadora de psicodramatistas ucraniana Lyudmyla Litvinenko confirma: "a estrutura geral das reuniões que realizamos no Zoom consistia nas três fases clássicas do psicodrama: aquecimento, ação e compartilhamento", insistindo que "momentos interessantes e bem--sucedidos podem acontecer em treinamento online" desde que todas as formas de trabalho sejam "revisadas e adaptadas para trabalhar online" (p. 20).

Por outro lado, o grupo formado pelos russos Viktor Semenov, Viktor Zaretskiy, Zaure Tulebaeva e Alexandra Dolzhenko revela que, já "em 2017, foi estabelecido um grupo de trabalho no Instituto de Psicodrama e Aconselhamento Psicológico de Moscou, para explorar possibilidades de aplicação do psicodrama online em grupos e individualmente" (p. 58). Entre as características computadas pelo grupo, eles destacam especificamente as seguintes circunstâncias a serem levadas em conta durante um psicodrama online:

- Tempo: os participantes podem viver em diferentes fusos horários;
- Geografia: planície, montanhas, mar, cidade, vila, países diferentes;
- Clima: sol, nuvens, neblina, neve, etc.;
- Espaço: os participantes estão localizados em várias salas: a iluminação diferente, a vista da janela;
- Características do contato: não há contato físico. Nós nos observamos na tela, os tamanhos dos monitores dos participantes podem diferir, interface pessoal (configuração e número de participantes na tela), não vemos completamente o corpo da pessoa;
- Organização do local de trabalho. Ferramentas: computador, notebook, tablet, celular.
- Localização: mesa de computador, escrivaninha, suportes especiais.
- Formas de controle: mouse, tela sensível ao toque. Várias formas de controle de tela. Outras possibilidades: chat, quadro virtual, fundo virtual, ligar/desligar vídeo e som, ancorar vídeo e muito mais.
- Várias plataformas de internet: Zoom, Skype, Miro, etc. (p. 60)

Essa análise os leva a concluir que "o psicodrama entra numa nova realidade, online", e que, por isso, "o diretor deveria assumir um novo papel: o de diretor técnico" (p. 60). Daí detectarem a necessidade de um encontro adicional técnico, para 1) "checar a confiabilidade da conexão com a internet"; 2) "checar a qualidade do vídeo e do som (fones de ouvido e microfone)"; 3) "concordar quanto a meios adicionais de conexão em rede (e-mail, messenger, celular...)"; 4) "treinar habilidades primárias de trabalhar com a plataforma de internet escolhida".

O grupo russo chega a propor um contrato de trabalho digital que vale a pena mencionar, pela riqueza dos detalhes:

1. Confidencialidade (responsabilidade de um cliente por estabelecer as condições de segurança para o trabalho: particularmente, ausência de estranhos durante o grupo ou reunião individual).
2. Organização do local de trabalho (a poltrona confortável ou a cadeira, algumas ferramentas para desenho e anotações, um copo d'água, lenço de papel).
3. Boa aparência.
4. Os demais dispositivos e programas de computador devem ser desligados.
5. Acordo sobre registros de vídeo e áudio.
6. A regra de 15 minutos antes e depois da reunião online.
7. Um local de encontro constante (se possível). (p. 61)

Já entre os psicodramatistas brasileiros que começaram a expor, nos dois livros citados, suas experiências no plano digital, a diversidade também é de lei. A psicóloga clínica Amanda Saraiva da Silva, em seu artigo "Psicodrama de grupo e sociodrama on-line", aponta uma série de especificidades, começando pelos aplicativos de chamada de vídeo e dando como exemplos "Discord (apenas áudio), Zoom, Microsoft Teams, Google Meet, Hangouts, Skype, Whereby e até mesmo o WhatsApp, cada um com suas ferramentas e limitações" (A. S. Silva, 2021, p. 36).

Ainda que a psicóloga sustente afirmações discutíveis – como a de que "o psicodrama possui viés psicoterapêutico e acontece na intimidade clínica" (p. 33) –, são bastante úteis suas observações sobre sociodramas online, entre as quais, por exemplo: "Uma estratégia que pode ser utilizada é que somente os membros do subgrupo que estão dramatizando deixem suas câmeras ligadas, para que seja mais fácil acompanhar a cena" (p. 41).

Nesse mesmo livro, *O drama na tela*, por outro lado, os psicodramatistas Daniela da Silva Fernandes e Fillipi Anselmo, no artigo "Retrospectiva dos sabores: psicodrama bi-pessoal on-line como instrumento de intervenção psicológica para o transtorno de compulsão alimentar", apresentam um estudo de caso que, aparentemente, desafia as limitações da internet. Trata-se, por enquanto, da restrição digital imposta ao sentidos humanos, permitindo que apenas dois (audição e visão) sejam diretamente acionados, deixando de lado tanto o olfato quanto o tato e o paladar.

Além do aspecto concreto de como trabalham especificamente o chamado transtorno de compulsão alimentar, compensando psicodramaticamente os limites tecnológicos com relação aos sentidos, o que chama a atenção é como esses dois autores conseguem tocar num dos pontos fundamentais explicitados por Moreno há 80 anos. Infelizmente, por razões puramente acadêmicas, costuma-se mencionar as citações utilizando-se a data da publicação consultada mais recente. Nesse caso, Daniela e Fillipi citam 2016 como o ano da edição do primeiro volume de *Psicodrama*. Na realidade, a advertência feita pelo psiquiatra data de 1942, quando publica pela primeira vez, na revista *Sociometry*, o artigo "Spontaneity procedures in television broadcasting with special emphasis on interpersonal relation systems" [Procedimentos de espontaneidade na transmissão de televisão, com ênfase especial nos sistemas de relacionamento interpessoal] e que, mesmo como conserva, vale a pena repetir, numa tradução livre:

> Numa era tecnológica como a nossa, o destino e o futuro do princípio da espontaneidade como um padrão importante de cultura e vida podem depender da boa sorte em vinculá-lo a dispositivos tecnológicos. É razoável supor que, caso o princípio da espontaneidade permanecesse fora dos poderosos avanços tecnológicos de nosso tempo, continuaria sendo uma expressão subjetivista de um pequeno grupo de intelectuais de inclinação romântica e incapazes de atingir e educar o público em geral. (Moreno, 1942, p. 10-11)

Como se trata, por enquanto, de um conjunto de experiências desenvolvidas sobretudo durante um período mundial de emergência, será necessário ir acumulando as evidências comprovadas na prática dos psicodramas e sociodramas digitais. Como comentam os editorialistas de *Possibilities and limitations of psychodrama online*, "o tempo dirá qual das possibilidades online desenvolvidas foi uma solução paliativa útil e solidária" e, também, "o que se revelará tão viável e enriquecedor que tenha justificação para ser integrado e ensinado como ferramenta psicodramática na formação no futuro" (Jannicke & Mävers, 2022, p. 7).

Fica claro, desde já, que, do ponto de vista teórico, houve uma alteração fundamental no que diz respeito ao *locus*. Na medida em que o "aqui" passa a variar de acordo com a localização física diferente de cada participante, o conceito de "aqui-agora" obviamente adquire nova dimensão, diante do psicodrama presencial. Exatamente por levarmos em conta o que Moreno afirma no livro *Fundamentos do psicodrama* – "O 'aqui-agora' da existência é um conceito *dialético*" (Moreno, 1983, p. 240) –, esta é uma oportunidade excelente para que se registre uma evolução teórica da filosofia e dos métodos psicodramáticos.

Afinal, não se trata de verdades esculpidas em pedra, mas de alterações conceituais justificadas por mudanças cada vez mais rápidas, proporcionadas tanto pelos meios tecnológicos quanto pela sensibilidade emocional, enriquecida pela consciência crítica, dos seres humanos no palco da vida, agora também digital.

Por último, cabe ainda assinalar uma nova emergência, a guerra iniciada em 20 de fevereiro de 2022, com a invasão da Ucrânia pela Rússia. De novo, destaque-se a necessidade urgente de um "treinamento da espontaneidade", além das diversas iniciativas de apoio emocional, já em curso, para o pessoal da Ucrânia, Rússia e das áreas diretamente afetadas, como a organizada pela equipe de Tele'Drama todas as quartas-feiras a partir de março.

Vale a pena também voltar, uma vez mais, ao jovem poeta Jacob Levy, em pleno cenário vienense da Primeira Guerra Mundial. É quando, em 1915, ele deixa registrado seu segundo caderno de versos, que durante 99 anos ficaram sem tradução, até serem vertidos para o castelhano. Na primeira estrofe de seu último texto, "O testamento do silêncio", o poeta desabafa:

Sou no meu silêncio um tumor
A que vossos deuses mais fortes sobrevivem.
Sou no céu deste dia repulsivo
o único que ainda estremece de si mesmo.
Ando impávido e com dificuldade pela montanha

> em que vós empilhais aço e corpos.
> Estou calado e meu silêncio julga. (Moreno, 1915/2014, p. 34, em tradução livre)

Ah, sim, a história do gênio. Até que alguém com provas nos contradiga de novo, penso que sim, foi mesmo bem certeiro o título dado por Moreno à sua *Autobiografia de um gênio.*

Referências

Abramowicz, M., & Casadei, R. S. (2010). *Paulinho, o menino que escreveu uma nova história*. Cortez.

Adedeji, J. A. (1972). The origin and form of the Yoruba masque theatre [A origem e a forma do teatro de máscaras iorubá]. *Cahier d'études africaines*, 12(46), 254-276. https://doi.org/10.3406/cea.1972.2763

Aguiar, M. (1998). *Teatro espontâneo e psicodrama*. Ágora.

Andreola, B. (2010). Interdisciplinaridade. In D. Streck, E. Redin, & J. J. Zitkoski (Orgs.). *Dicionário Paulo Freire*. Autêntica.

Anônimo (1923). *Das Stegreiftheater* [O teatro da improvisação]. Verlag des Vaters/ Gustav Kiepenheuer Verlag; (2016). *El teatro de improvisación*. Anónimo del Siglo XXI.

Anzieu, D. (2008). *Le psychodrame analytique chez l'enfant et l'adolescent* [O psicodrama analítico na criança e no adolescente]. Presses Universitaires de France.

Araújo Freire, A. M. (1998). *Nita e Paulo*: crônicas de amor. Olho d'Água.

Araújo Freire, A. M. A. (2001). In Gadotti, M. et al.

Aristófanes (2011). *Avispas* [As vespas]. Losada.

Aristóteles (2007). *Poética* (Trad., introdução e notas de Salvador Mas). Biblioteca Nueva.

Assens, R. F. (1951). Lila (1778) – Idea general de la obra [Ideia geral da obra]. In J. W. Goethe. *Obras completas* (T. III, p. 920-936). Aguilar.

Bay, H., Izenour, G. C. & Barker, C. (3 dez. 2020). theatre. *Encyclopedia Britannica*. https://www.britannica.com/art/theater-building

Bergner, E. (1978). *Bewundert viel und viel gescholten... Unordentliche Erinnerungen* [Muito admirada e muito repreendida... Memórias desordenadas]. Goldmann Verlag.

Berne, E. (1970). Gestalt Therapy Verbatim, by Frederick S. Perls [A terapia Gestalt, literalmente, de Frederick S. Perls]. *The American Journal of Psychiatry, 126*(10). https://doi.org/10.1176/ajp.126.10.1513

Bischof, L. J. (1970). *Interpreting personality theories* [Interpretando as teorias da personalidade] 2ª ed. rev. Harper & Row.

Bischof, L. J. (s.d.). Recidivism and role playing [Reincidência e jogo de papéis]. In *1962-63 corres with L. J. Bischof* [Correspondência 1962-63 com LJB], caixa 27, pasta 431. Boston: Harvard University.

Boarini, A. (2021). *Memórias feridas da alma: psicodrama interno transgeracional*. Ed. do Autor.

Boarini, A. (2022). *"Ô, Alberto, que história é essa de psicodrama interno transgeracional?"*. https://youtu.be/v9owfy89Epk

Breitenbach, G. (2015). *Inside views from the dissociated worlds of extreme violence: human beings as merchandise* [Visões internas dos mundos dissociados da violência extrema: seres humanos como mercadoria]. Karnac Books.

Breuer, J., & Freud, S. (1895). *Studien über Hysterie*. Franz Deuticke. Cf. também Breuer, J., & Freud, S. (1978). Estudios sobre la histeria (1893-1895). In S. Freud. *Obras completas* (Vol. VII). Amorrortu.

Britannica, The Editors of Encyclopaedia (20 jul. 1998). Theatre of the Vieux-Colombier. *Encyclopedia Britannica*. https://www.britannica.com/topic/Theatre-of-the-Vieux-Colombier

Britannica, The Editors of Encyclopaedia (28 ago. 2007). fabula Atellana. *Encyclopedia Britannica*. https://www.britannica.com/art/fabula-Atellana

Britannica, The Editors of Encyclopaedia (5 maio 2016). Stanislavsky system. *Encyclopedia Britannica*. https://www.britannica.com/art/Stanislavsky-system

Britannica, The Editors of Encyclopaedia (8 fev. 2018). Thespis. *Encyclopedia Britannica*. https://www.britannica.com/biography/Thespis-Greek-poet

Britannica, The Editors of Encyclopaedia (2 fev. 2021). Romanticism. *Encyclopedia Britannica*. https://www.britannica.com/art/Romanticism

Britannica, The Editors of Encyclopaedia (11 jan. 2022). Georg Kerschensteiner. *Encyclopedia Britannica*. https://www.britannica.com/biography/Georg-Kerschensteiner

Brown, J. R. (Org.). (2001). *The Oxford illustrated history of the theatre* [A história ilustrada do teatro, pela Universidade de Oxford]. Oxford University Press.

Brown, S. G. (2012). *The radical pedagogies of Socrates and Freire: Ancient Rhetoric/Radical Praxis* [As pedagogias radicais de Sócrates e Freire: antiga retórica/práxis radical]. Routledge.

Browne, W. (1843). Case 193. In *Crichton Royal Institution Case Books* [Livros de casos da Instituição Crichton Royal (Vol. 3). https://wellcomecollection.org/works/wch7ybez

Browne, W. A. F. (1837). *What asylums were, are and ought to be* [O que foram, são e deveriam ser os hospícios]. Adam and Charles Black.

Bruhn, M. M., Boscolo, K. O., Barboza, R. P., & Cruz, L. R. (2019). Psicologia, palhaçaria e psicodrama: construção coletiva de aprendizados e intervenções. *Revista Brasileira de Psicodrama, 27*(1), 65-74. https://dx.doi.org/10.15329/0104-5393.20190007

Carnabucci, K., & Anderson, R. (2012). *Integrating psychodrama and systemic constellation work: new directions for action methods, mind-body therapies and energy healing* [Integrando psicodrama e trabalho de constelação sistêmica: novas direções para métodos de ação, terapias mente-corpo e cura energética]. Jessica Kingsley.

Casson, J. (1999). Evreinoff and Moreno: monodrama and psychodrama, parallel developments or hidden influences? [Evreinoff e Moreno: monodrama e psicodrama, – desenvolvimentos paralelos ou influências ocultas?]. *Journal of the British Psychodrama Association, 14*(1-2), 20-30.

Casson, J. (2004). *Drama, psychotherapy and psychosis* [Drama, psicoterapia e psicose]. Brunner-Routledge.

Castelvecchi, S. (1996). From Nina to Nina: psychodrama, absorption and sentiment in the 1780s [De Nina a Nina: psicodrama, absorção e sentimento na década de 1780]. *Cambridge Opera Journal, 8*(2), 91-112. https://doi.org/10.1017/S095458670000464X

Cepeda, N., & Martin, M. A. (2010). *MASP 1970 – O psicodrama*. Ágora.

Cesarino, A. C. (2019). *Cesarino e o psicodrama no Brasil, anos 1960: "Era tudo muito mágico"*. https://youtu.be/Ck2RfcZr9AY

Cesarino, A. C. (2019a). *É segredo? O sigilo e o uso da mídia em psicodrama: o que pensa Cesarino.* https://youtu.be/hZcOz_cp41w

Cesarino, A. C. et al. (2001). *A ética nos grupos: contribuição do psicodrama*. Ágora.

Chauí, M. S. (1979). Posfácio. In A. N. Neto, *Psicodrama: descolonizando o imaginário.* Brasiliense.

Clubb, L. G. (2001). Italian Renaissance theatre [Teatro do Renascimento italiano]. In J. R. Brown (Org.), *The Oxford illustrated history of the theatre* [A história ilustrada do teatro, pela Universidade de Oxford] (p. 107-141). Oxford University Press.

Communicube (2022). https://www.communicube.co.uk/

Copeau, J. (1917/2014). *Jacques Copeau & Le Théâtre Du Vieux-Colombier from Paris* [Jacques Copeau e o teatro do Velho Pombal de Paris]. Michigan University.

Copeau, J. (1979). *Les registres du Vieux Colombier, Registres III, partie 1* [Os registros do Velho Pombal, registros III, parte 1]. Gallimard.

Costa, R. P. (Org.). (2001). *Um homem à frente de seu tempo: o psicodrama de Moreno no século XXI*. Ágora.

Cukier, R. (1992). *Psicodrama bipessoal: sua técnica, seu terapeuta e seu paciente*. Ágora.

Cukier, R. (2002). *Palavras de Jacob Levy Moreno: vocabulário de citações do psicodrama, da psicoterapia de grupo, do sociodrama e da sociometria*. Ágora.

Cukier, R. (2021). *Na sala de espera da psicóloga Rosa Cukier.* https://youtu.be/VT4GrEfRJXU

Darwin, C. (1872). *The expression of the emotions in man and animals* [A expressão das emoções no homem e nos animais]. John Murray.

DIENER, G. (1971). *Goethes "Lila": Heilung eines "Wahnsinns" durch "psychische Kur"* ["Lila" de Goethe: a cura de uma "loucura" por "tratamento psíquico"]. Athenäum Verlag.

DIENER, G. (2012). Relação do processo delirante em Lila de Goethe, com a psicologia analítica e o psicodrama. In J. L. MORENO, *O teatro da espontaneidade.* Ágora; Daimon.

DRACOULIDES, N. N. (1967). Origine de la psychanalyse et du psychodrame dans les "nuées" et les "guêpes" d'Aristophane [Origem da psicanálise e do psicodrama em *As nuvens* e *As vespas* de Aristófanes]. In *Histoire des sciences médicales, 1*(2), 101-112. http://www.biusante.parisdescartes.fr/sfhm/hsm/HSMx1967x001x002_3_4/HSMx1967x001x002_3_4x0101.pdf. Cf. também DRACOULIDES, N. N. (s.d.). In *Reprints from JLM's library and miscellaneous printed matter* [Reimpressões da biblioteca de JLM e impressos vários], caixa 141. CLM; Harvard University.

DREWAL, M. T. (1992). *Yoruba ritual: performers, play, agency* [Ritual iorubá: atores, peça, agência]. Indiana University Press.

DUBNER, A. (2021). Cena 2: Psicodrama virtual. In M. ECHENIQUE (Org.) et al. *Psicodrama virtual: explorando a toca do coelho.* Araucária.

DUCHARTRE, P. L. (1966). *The Italian comedy: the improvisation scenarios, lives, attributes, portraits and masks of the illustrious characters of the commedia dell'arte* [A comédia italiana: cenários de improvisação, vidas, atributos, retratos e máscaras dos ilustres personagens da commedia dell'arte]. Dover Publications.

ECHENIQUE, M. (Org.) et al. (2021). *Psicodrama virtual: explorando a toca do coelho.* Araucária.

EVREINOFF, N. (1927/2013). *The theatre in life* [O teatro na vida]. Brentano's; Martino Publishing.

FARMER, C. (1995). *Psychodrama and systemic therapy* [Psicodrama e terapia sistêmica]. Karnac Books.

FEBRAP (2022). https://febrap.org.br/

FEPTO (2022). Recuperado de https://www.fepto.com

FERENCZI, S. (1927). *Further contributions to the theory and technique of psycho-analysis* [Outras contribuições à teoria e à técnica da psicanálise] (p. 203-204). Boni & Liveright Publishers.

FERNANDES, D. S., & ANSELMO F. (2021). Retrospectiva dos sabores: o psicodrama bi-pessoal on-line como instrumento de intervenção psicológica para o transtorno de compulsão alimentar. In G. P. VIDAL & M. M. VITALI (Orgs.), *O drama na tela: trajetórias do psicodrama on-line.* Appris.

FERNÁNDEZ, A. (2009). *Psicopedagogía en psicodrama: habitando el jugar* [Psicopedagogia no psicodrama: habitando o brincar]. Nueva Visión.

FERNÁNDEZ, N. (2013). *Psicodrama arquetipal.* Escola Venezolana de Psicodrama.

Fernow, K. L. (1801). *Über die Improvisatoren* [Sobre os improvisadores]. Neue Deutsche Merkur.

Fleury, H. J. (2020). Psicodrama e as especificidades da psicoterapia on-line. *Revista Brasileira de Psicodrama, 28*(1), 1-4. https://revbraspsicodrama.org.br/rbp/article/view/406

Fonseca Filho, J. S. (1972). *Correlações entre a teoria psicodramática de Jacob Levy Moreno e a filosofia dialógica de Martin Buber*. Faculdade de Medicina, Universidade de São Paulo (USP).

Fonseca Filho, J. S. (1980). *Psicodrama da loucura: correlações entre Buber e Moreno*. Ágora.

Fonseca, J. (2018). *Essência e personalidade: elementos de psicologia relacional*. Ágora.

Fonseca, J. (2018). *Surfando na espontaneidade: um encontro com José Fonseca*. https://youtu.be/vFfmSoWuf60

Fox, J. (Org.) (1987). *The essential Moreno: writings on psychodrama, group method, and spontaneity by J. L. Moreno* [Moreno essencial: escritos sobre psicodrama, método de grupo, e espontaneidade, por J. L. Moreno]. Springer Publishing Company.

Fox, J. (2010). *Playback theatre compared to psychodrama and theatre of the oppressed* [Playback theatre comparado com o psicodrama e o teatro do oprimido]. https://www.playbacktheatre.org/wp-content/uploads/2010/05/PT_Compared.pdf

Freire, P. (1993). *Pedagogy of the oppressed*. Continuum.

Freire, P. (2001). *A educação na cidade* (5ª ed.). Cortez.

Freire, P. (2011). *Pedagogia do oprimido*. Paz e Terra.

Freire, P. (2011a). *Pedagogia da autonomia: saberes necessários à prática educativa*. Paz e Terra.

Freire, P. (2013). *Pedagogia do oprimido (o manuscrito)*. Editora e Livraria Instituto Paulo Freire; Universidade Nove de Julho; Ministério da Educação.

Freire, P., & Betto, F. (1985). *Essa escola chamada vida*. Ática.

Freire, P., & Shor, I. (1986). *Medo e ousadia: o cotidiano do professor*. Paz e Terra.

Freire, P., & Shor, I. (1987). *A pedagogy for liberation* [Uma pedagogia para a libertação]. Bergin & Garvey Publishers.

Freire, P., & Macedo, D. (1987). *Alfabetização: leitura do mundo, leitura da palavra*. Paz e Terra.

Freire, P., & Horton, M. (1990). *We Make the Road by Walking: Conversations on Education and Social Change* [O caminho se faz caminhando: conversas sobre educação e mudança social]. Temple University Press.

Freire, P., & Horton, M. (2003). *O caminho se faz caminhando: conversas sobre educação e mudança social*. Vozes.

Freire, P., & Faundez, A. (2013). *Por uma pedagogia da pergunta*. Paz e Terra.

Freire, P., Gadotti, M., Guimarães, S., & Hernández, I. (1987). *Pedagogía: diálogo y conflicto*. Cinco.

Freire, P., & Guimarães, S. (1982). *Sobre educação: diálogos I.* Paz e Terra. Cf. também Freire, P., & Guimarães, S. (2022). *Partir da infância: diálogos sobre educação.* Paz e Terra.

Freire, P., & Guimarães, S. (1984). *Sobre educação: diálogos II.* Paz e Terra. Cf. também Freire, P., & Guimarães, S. (2011). *Educar com a mídia: novos diálogos sobre educação.* Paz e Terra.

Freire, P., & Guimarães, S. (1987). *Aprendendo com a própria história I.* Paz e Terra. Cf. também Freire, P., & Guimarães, S. (2022). *Aprendendo com a própria história.* Paz e Terra.

Freire, P., & Guimarães, S. (2000). *Aprendendo com a própria história II.* Paz e Terra. Cf. também Freire, P., & Guimarães, S. (2021). *Dialogando com a própria história.* Paz e Terra.

Freire, P., & Guimarães, S. (2003/2021). *A África ensinando a gente: Angola, Guiné-Bissau, São Tomé e Príncipe.* Paz e Terra.

Freire, P., & Guimarães, S. (2008). *Sobre educação: lições de casa.* Paz e Terra.

Freire, P., & Guimarães, S. (2021). *Dialogando com a própria história.* Paz e Terra.

Freire, P., & Guimarães, S. (2022). *Lições de casa: últimos diálogos sobre educação.* Paz e Terra.

Freire, P., & Guimarães, S. (2022a). *Partir da infância: diálogos sobre educação.* Paz e Terra.

Freitas Junior, J. A., & Cheriegate, J. L. (2018). Psicodrama do herói: uma jornada de transformação. *Revista Brasileira de Psicodrama, 26*(2), 120-125. https://dx.doi.org/10.15329/2318-0498.20180033

Freud, S. (1908). Der Dichter und das Phantasieren [O poeta e a fantasia]. *Neue Revue, 1*(10).

Freud, S. (1978). El creador literario y el fantaseo [O criador literário e a fantasia]. In *Obras completas* (Vol. IX). Amorrortu.

Freud, S. (1978a). Personajes psicopáticos en el escenario [Personagens psicopatas no palco]. In *Obras completas* (Vol. VII). Amorrortu.

Freud, S. (1981). Personajes psicopáticos en el teatro [Personagens psicopatas no teatro]. In *Obras completas* (T. II, 4ª ed.). Biblioteca Nueva.

Fromm-Reichmann, F., & Moreno, J. L. (1956). *Progress in psychotherapy* [Progressos em psicoterapia]. Grune & Stratton.

Frost, A., & Yarrow, R. (2016). *Improvisation in drama, theater and performance: history, practice, theory* [A improvisação no drama, no teatro e na atuação: história, prática, teoria]. Palgrave.

Gadotti, M. et al. (1996). *Paulo Freire – uma biobibliografia.* Cortez.

Gaiarsa, J. A. (1978/2015). *Tratado geral sobre a fofoca: uma análise da desconfiança humana.* Ágora.

GARCIA, E. L. (2020). *Quando o psicodrama brinca com bonecos: Elisete Garcia.* https://youtu.be/0YzS45rVBbI

GARCIA, E. L. (2020a). *Psicodrama, tatadrama: Elisete anuncia a chegada de um filho novo.* https://youtu.be/eXSyMoUzWAQ

GARCIA, E. L. (2020b). *Entre 18 mil bonecas, Elisete conta a história do tatadrama.* https://youtu.be/ivzd0kuNnfM

GARCIA, E. L., & MALUCELLI, M. I. C. (2010). *Tramas e dramas do boneco de pano no tatadrama.* Livre Expressão.

GARCÍA-VALDECASAS (1967). Welcoming address, Second International Congress of Psychodrama, Barcelona, August 29, 1966, Don Quixote and Psychodrama [Discurso de boas-vindas, Segundo Congresso Internacional de Psicodrama, Barcelona, 29 de agosto de 1966, Dom Quixote e Psicodrama]. *Group Psychotherapy, XX*(1-2), 9-16.

GASSEAU, M., & SCATEGNI, W. (2007). Jungian psychodrama: from theoretical to creative roots [Psicodrama junguiano: das raízes teóricas às criativas]. In C. BAIM, J. BURMEISTER, & M. MACIEL (Orgs.). (2007).

GASSEAU, M., & PERROTTA, L. (2013). The Jungian approach in situ supervision of psychodrama. In H. KRALL, J. FÜRST, & P. FONTAINE (Orgs.), *Supervision in psychodrama: experiential learning in psychotherapy and training.* [Supervisão em psicodrama: aprendizagem experiencial em psicoterapia e treinamento]. Springer VS.

GOETHE, J. W. (1951). *Obras completas* (T. III, p. 920-936). Aguilar .

GOETHE, J. W. (1991). *Años de aprendizaje de Guillermo Meister* [Os anos de aprendizado de Wilhelm Meister] (T. II). Aguilar.

GREEB, M. (2016). *Marisa, Moreno: psicodrama ou sociodrama?* https://youtu.be/QAfFITSnGsE

GRIMMELSHAUSEN, H. J. von. (2008). *Simplicissimus: the German adventurer* [Simplicíssimus: o aventureiro alemão]. Newfound Press.

GUIMARÃES, L. A. (2020). Imagodrama: uso de bonecos e objetos-auxiliares em psicodrama individual e on-line. *Revista Brasileira de Psicodrama, 28*(2), 106-117. http://pepsic.bvsalud.org/pdf/psicodrama/v28n2/02.pdf

GUIMARÃES, S. (2011). Canal do YouTube. https://www.youtube.com/user/sguimaraes100

GUIMARÃES, S. (2020). *Moreno, o Mestre: origem e desenvolvimento do psicodrama como método psicossocial.* Ágora.

GUIMARÃES, S. (2020a). *What Do You Mean by Tele'Drama, Daniela Simmons?* [O que você quer dizer com Tele'Drama, Daniela Simons?]. https://youtu.be/MZbdU_iDhgg

HAAS, R. B. (Org.). (1949). *Psychodrama and sociodrama in American education* [Psicodrama e sociodrama na educação norte-americana]. Beacon House.

HALE, A. E. (2008). Nota da organizadora. In J. L. Moreno, *Quem sobreviverá?* Daimon.

HARE, A. P., & HARE, J. R. (1996). *J. L. Moreno*. Sage Publications.

HARE, P. (1986). Bibliography of work of J. L. Moreno [Bibliografia das obras de J. L. Moreno]. *Journal of Group Psychotherapy, Psychodrama and Sociometry, 39*(3), 95-128.

HARE, P. (1986a). Moreno's contribution to social psychology [A contribuição de Moreno à psicologia social]. *Journal of Group Psychotherapy, Psychodrama and Sociometry, 39*(3), 85-94.

HILLMAN, J. (1983). *Archetipal psychology: a brief account* [Psicologia arquetípica: um breve relato]. Spring Publications.

HOLLAND, P., & PATTERSON, M. (2001). Eighteen-century theatre [Teatro do século XVIII]. In J. R. Brown (Org.), *The Oxford illustrated history of the theatre* [A história ilustrada do teatro, pela Universidade de Oxford]. Oxford University Press.

HOUAISS, A. & VILLAR, M. S. (2009). *Dicionário Houaiss da língua portuguesa*. Objetiva.

HUDSON, W. H. (1892). *The naturalist in La Plata* [O naturalista em La Plata]. Chapman and Hall.

ILJINE, V. N. (1909). *Interpretação teatral improvisada para o tratamento de transtornos anímicos* (em russo). Teatralny Kurier.

ILJINE, V. N. (1972). El teatro terapéutico. In H. Petzold (Org.). *Angewandtes Psychodrama in Therapie, Pädagogik, Theater und Wirtschaft* [Psicodrama aplicado à terapia, à educação, ao teatro e à economia]. Jungfermann.

JANNICKE, M., MÄVERS, G., & OLBERDING, J. (Orgs.). (2022). *Possibilities and limitations of psychodrama online* [Possibilidades e limitações do psicodrama online]. Psychodrama Association for Europe.

JONES, P. (1996). *Drama as therapy: theatre as living* [O drama como terapia: o teatro como vida]. Routledge.

KARP, M. (2020). *Marcia Karp and J L Moreno: "I Think You Are a Genius"*. https://youtu.be/Q9900gmjdSA.

KERR, B. (5 dez. 2021). creativity. *Encyclopedia Britannica*. https://www.britannica.com/topic/creativity

KESSELMAN, H., & PAVLOVSKY, E. (1996). *La multiplicación dramática* [A multiplicação dramática]. Ediciones Ayllu.

KIPPER, D. A. (1986). *Psychotherapy through clinical role playing* [Psicoterapia por meio de jogos de papéis clínicos]. Brunner; Mazel.

KIRKLAND, C. D. (2003). Théâtre du Soleil [Teatro do Sol]. In J. Schechter (Org.), *Popular Theatre: a sourcebook* [Teatro popular: um livro de referência]. Routledge.

KLEIN, M. (1966). Early stages of the Oedipus conflict [Os primeiros estágios do conflito de Édipo]. In H. M. RUITENBEEK (Org.), *Psychoanalysis and male sexuality* [Psicanálise e sexualidade masculina] (p. 68-82). College & University Press.

Krall, H., Fürst, J., & Fontaine, P. (Eds.). (2013). *Supervision in psychodrama: experiential learning in psychotherapy and training* [Supervisão em psicodrama: aprendizagem experiencial em psicoterapia e treinamento]. Springer VS.

Kreitler, H., & Kreitler, S. (1968). Validation of psychodramatic behaviour against behaviour in life [Validação de comportamentos psicodramáticos em comparação com comportamentos na vida]. *The British Journal of Medical Psychology, 41*(2), 185-192. https://doi.org/10.1111/j.2044-8341.1968.tb02023.x

Lai, N.-H., & Tsai, H.-H. (2014). Practicing psychodrama in Chinese culture [Praticando psicodrama na cultura chinesa]. *The Arts in Psychotherapy, 41*(4), 386-390.

Landgraf, E. (2014). *Improvisation as art: conceptual challenges, historical perspectives* [A improvisação como arte: desafios conceituais, perspectivas históricas]. Bloomsbury.

Lebovici, S. (1958). Group psychotherapy in France [Psicoterapia de grupo na França]. In *International handbook of GP manuscript materials from S. Lebovici* [Materiais manuscritos de S. Lebovici para o Manual internacional de psicoterapia de grupo], caixa 86, pasta 1424. CLM; Harvard University.

Lessing, G. E. (1997). *Dramaturgia de Hamburgo.* Cien del Mundo.

Levy, R. B. (1949). Psychodrama and the philosophy of cultural education [O psicodrama e filosofia da educação cultural]. In R. B. Haas (Org.), *Psychodrama and sociodrama in American education* [Psicodrama e sociodrama na educação norte-americana]. Beacon House.

Malaquias, M. C. (2020). *Maria Célia Malaquias e "O Problema Negro-Branco".* https://youtu.be/3NzvzH97B14

Marineau, R. (1989). *J. L. Moreno et la troisième révolution psychiatrique* [Moreno e a terceira revolução psiquiátrica]. Métailié.

Marineau, R. (1995). *J. L. Moreno – su biografía* [JLM – sua biografia]. Lumen-Hormé.

Marneros, A. (2008). Psychiatry's 200th birthday. *British Journal of Psychiatry* [Revista Britânica de Psiquiatria], 193(1), 1-3. https://doi.org/10.1192/bjp.bp.108.051367

Marschall, B. (1988). *"Ich bin der Mythe": von der Stegreifbühne zum Psychodrama Jakob Levy Morenos* ["Eu sou o mito": do teatro da improvisação ao psicodrama de Jacob Levy Moreno]. Böhlau Verlag Gesellschaft.

Mazzone-Clementi, C., & Hill, J. (2003). Commedia and the actor [A comédia e o ator]. In J. Schechter (Org.), *Popular Theatre: a sourcebook* [Teatro popular: um livro de referência] (p. 83-89). Routledge.

McLean L. D. (1968). Psychotherapy for Houston Police [Psicoterapia para a polícia de Houston]. *Ebony, XXIII*(12)76-82. https://books.google.com.ar/books?id=RNsDAAAAMBAJ&printsec=frontcover&hl=pt-BR#v=onepage&q&f=false

Mir, J. M. (2009). *Diccionario ilustrado latino-español español-latino.* Vox.

Monteiro, R. F. (Org). (1993/1998). *Técnicas fundamentais do psicodrama.* Ágora.

Mordini, E. (2011). Pulcinella secrets [Segredos de Polichinelo]. *Bioethics, 25*(9), ii-iii. https://www.academia.edu/11968669/Polichinelo_Secrets

Moreno, J. D. (2014). *Impromptu man: J. L. Moreno and the origins of psychodrama, encounter culture, and the social network* [O homem do improviso: J. L. Moreno e as origens do psicodrama, da cultura do encontro e das redes sociais]. Bellevue Literary Press.

Moreno, J. L. (s.d.). *Autobiography of a genius: plans, outlines, introductory matter for various versions* [Autobiografia de um gênio: planos, esboços, material introdutório para várias versões], caixa 96, pastas 1572-1587. CLM; Harvard University.

Moreno, J. L. (1914). *Einladung zu einer Begegnung* [Convite para um encontro]. Druck von R. Thimms Erben.

Moreno, J. L. (1928). *Impromptu school* [Escola do improviso]. Plymouth Institute.

Moreno, J. L. (1929). *Impromptu vs. standardization* [Improviso vs. padronização]. Moreno Laboratories.

Moreno, J. L. (1931). *Impromptu, I*(1). Impromptu, Carnegie Hall.

Moreno, J. L. (1934). *Who Shall Survive? A New Approach to the Problem of Human Interrelations.* [Quem sobreviverá? Um novo enfoque para o problema das inter-relações humanas]. Nervous and Mental Disease Publishing Co.

Moreno, J. L. (1937). Editorial Foreword [Prefácio editorial]. In *Sociometry – A Journal of Inter-Personal Relations, 1*(1-2), p. 5-7.

Moreno, J. L. (1942). Spontaneity procedures in television broadcasting with special emphasis on interpersonal relation systems" [Procedimentos de espontaneidade na transmissão de televisão, com ênfase especial nos sistemas de relacionamento interpessoal]. In *Sociometry*. Beacon House.

Moreno, J. L. (1947). *The Theatre of Spontaneity* [O teatro da espontaneidade]. Beacon House.

Moreno, J. L. (1949). The spontaneity theory of learning [A teoria da espontaneidade da aprendizagem]. In R. B. Haas (Org.), *Psychodrama and sociodrama in American education* [Psicodrama e sociodrama na educação norte-americana]. Beacon House.

Moreno, J. L. (c. 1950). *Psychodrama: with introductory remarks concerning group psychotherapy* [Psicodrama: com observações preliminares relativas à psicoterapia de grupo], caixa 107, pasta 1792. Harvard University.

Moreno, J. L. (1952). *1952 corres with Bruce Chapman and contract re television series* [Correspondência de 1952 com Bruce Chapman e contrato relativo à série televisiva], caixa 2, pasta 24. CLM; Harvard University.

Moreno, J. L. (1953). *Who shall survive? Foundations of sociometry, group psychotherapy and sociodrama* [Quem sobreviverá? Fundamentos da sociometria, da psicoterapia de grupo e do sociodrama] (2ª ed.). Beacon House.

MORENO, J. L. (1954). *Les fondements de la sociométrie* [Fundamentos da sociometria]. Presses Universitaires de France.

MORENO, J. L. (1955). *Preludes to my autobiography* [Prelúdios à minha autobiografia]. Beacon House.

MORENO, J. L. (1958). On the history of psychodrama [Sobre a história do psicodrama]. *Group Psychotherapy, XI*(3), 257-260.

MORENO, J. L. (1959a). *Psychodrama* [Psicodrama]. In ARIETI, S. (Org.), *American Handbook of Psychiatry* [Manual norte-americano de psiquiatria]. Basic Books.

MORENO, J. L. (1959). *Gruppenpsychotherapie und Psychodrama – Einleitung in die Theorie und Praxis* [A psicoterapia de grupo e o psicodrama – introdução à teoria e à práxis]. Georg Thieme Verlag.

MORENO, J. L. (1960). Psicodrama y existencialismo. *Revista de Psiquiatría y Psicología Médica de Europa y América Latina, 4*(7), 553-564.

MORENO, J. L. (1961). *France: 1953... 1966 corres with S. Lebovici* [França: correspondência de 1953... 1966 com SL], caixa 67, pasta 1088. CLM; Harvard University.

MORENO, J. L. (1961a). Psychodrama and Psychoanalysis, Similarities and Differences [Psicodrama e psicanálise, semelhanças e diferenças]. In *Montreal: Excerpta Medica Foundation* (Vol. 3, pt. 2).

MORENO, J. L. (1961b). *Psicodrama.* Hormé.

MORENO, J. L. (1966). *Psicoterapía de grupo y psicodrama.* Fondo de Cultura Económica.

MORENO, J. L. (Org.). (1966a). *The international handbook of group psychotherapy* [Manual internacional de psicoterapia de grupo]. Philosophical Library.

MORENO, J. L. (1967). Cervantes, Don Quixote and psychodrama: reply to Professor Francisco García-Valdecasas, M. D. [Cervantes, Dom Quixote e psicodrama: resposta ao professor Francisco García-Valdecasas, médico]. *Group Psychotherapy, 20*, 15-24.

MORENO, J. L. (1968). *Canada: 1966-70 corres with Gilbert Tarrab* [Canadá: correspondência de 1966-1970 com GT], caixa 64, pasta 1042. Countway Library of Medicine; Harvard University.

MORENO, J. L. (1971). *Group Psychotherapy and Psychodrama, XXIV*(1-2), 14-16. Ver também MORENO, J. L. (2012). *O teatro da espontaneidade* (p. 150-153). Ágora; Daimon.

MORENO, J. L. (1974). *Autobiography of a genius* [Autobiografía de um gênio]. Manuscrito inédito. Zerka T. Moreno Foundation.

MORENO, J. L. (1974a). *Psicoterapia de grupo e psicodrama.* Mestre Jou.

MORENO, J. L. (1977). *Psychodrama: first volume* [Psicodrama: primeiro volume] (5ª ed.). Beacon House.

MORENO, J. L. (1975/2016). *Psicodrama.* Cultrix.

Moreno, J. L. (1978). *Who shall survive? Foundations of sociometry, group psychotherapy and sociodrama* [Quem sobreviverá? Fundamentos da sociometria, da psicoterapia de grupo e do sociodrama] (3ª ed.). Beacon House.

Moreno, J. L. (1983). *Fundamentos do psicodrama*. Ágora.

Moreno, J. L. (1985). *The autobiography of J. L. Moreno, M. D.* [A autobiografia de J. L. Moreno, médico]. Manuscrito. Arquivos de René Marineau.

Moreno, J. L. (1992). *Quem sobreviverá? Fundamentos da sociometria, da psicoterapia de grupo e do sociodrama*. Dimensão.

Moreno, J. L. (1999). *Psicoterapia de grupo e psicodrama*. Livro Pleno.

Moreno, J. L. (2008). *Quem sobreviverá? Fundamentos da sociometria, da psicoterapia de grupo e do sociodrama – edição do estudante*. Daimon.

Moreno, J. L. (2012). *O teatro da espontaneidade*. Ágora; Daimon.

Moreno, J. L. (2014). *Autobiografia*. Ágora; Daimon.

Moreno, J. L. (2014). *Invitación a un encuentro, cuaderno 2*. SG. Cf. Moreno, J. L. (1915). *Einladung zu Einer Begegnung* [Convite a um encontro]. Anzengruber--Editorial Hermanos Suschitzky.

Moreno, J. L. (2019). *Autobiography of a genius* [Autobiografia de um gênio]. The North-West Psychodrama Association.

Moreno, J. L. (2020). *J. L. Moreno: "o caminho de uma nova era"*. https://youtu.be/Vq9foXoatLk

Moreno, J. L., & Fischel, J. K. (1942). Spontaneity procedures in television broadcasting with special emphasis on interpersonal relation systems [Procedimentos de espontaneidade na transmissão televisiva com ênfase especial nos sistemas de relações interpessoais]. *Sociometry, 5*(1).

Moreno, J. L., & Jennings, H. H. (Orgs.) et al. (1960). *The sociometry reader*. The Free Press of Glencoe, Illinois.

Moreno, J. L., & Moreno, Z. T. (2006). *Psicodrama: teoria da ação & princípios da prática*. Daimon.

Moreno, Z. T. (1965). Psychodramatic rules, techniques and adjunctive methods [Normas psicodramáticas, técnicas y métodos auxiliares]. *Group Psychotherapy*, *18*(1-2), p. 73-86.

Moreno, Z. T. (1966). The seminal mind of J. L. Moreno and his influence upon the present generation [A mente seminal de J. L. Moreno e sua influência sobre a geração atual]. *International Journal of Sociometry and Sociatry, 4-5*, 145-156.

Moreno, Z. T. (1995). Foreword [Prefácio]. In C. Farmer, *Psychodrama and systemic therapy* [Psicodrama e terapia sistêmica]. Karnac Books.

Moreno, Z. T. (2006). *The quintessential Zerka: writings by Zerka Toeman Moreno on psychodrama, sociometry and group psychotherapy* [A quintessência de Zerka: escritos de Zerka Toeman Moreno sobre psicodrama, sociometria e psicoterapia de grupo]. Routledge.

Moreno, Z. T. (2012). *To dream again: a memoir* [Sonhar de novo: um livro de memórias]. Mental Health Resources.

Moreno, Z. T., Blomkvist, L. D., & Rützel, T. (2001). *A realidade suplementar e a arte de curar*. Ágora.

Motta, J. (2021). Do medo à esperança de crescer. In Echenique, M. (Org.) et al., *Psicodrama virtual: explorando a toca do coelho*. Araucária.

Motta, J. M. C. (2019). *Júlia Motta, conte a história do psicodrama no Brasil*. https://youtu.be/yUrap78mktk

Motta, J. M. C., Alves, L. F. et al. (2011). *Psicodrama: ciência e arte*. Ágora.

Naffah Neto, A. (1979). *Psicodrama: descolonizando o imaginário*. Brasiliense.

Naffah Neto, A. (2021). *Alfredo Naffah: "O psicodrama, como terapêutica, tem seus limites"*. https://youtu.be/F02Ep1I2ExI

Nery, M. P. (2004). Teorias do vínculo e dos papéis: um estudo dialético da personalidade. *Tele e transferência* [Monografia, Cap. 1]. http://docplayer.com.br/12560423-Monografia-de-maria-da-penha-nery-capitulo-1-teorias-do-vinculo-e-dos-papeis-um-estudo-dialetico-da-personalidade.html

Nery, M. P. (2014). *Vínculo e afetividade: caminho das relações humanas*. Ágora.

Nery, M. P. (2021). Psicodrama e métodos de ação on-line: teorias e práticas. *Revista Brasileira de Psicodrama*, *29*(2), 107-117.

Pabón S. de Urbina, J. M. (2007). *Diccionario Bilingüe Manual – Griego clásico-Español* [Dicionário Bilíngue Manual – Grego clássico-Espanhol]. Vox.

Perazzo, S. (2020). *Entrando na casa e na vida de Sérgio Perazzo, psicodramatista*. https://youtu.be/fs2Dqg8A1SU

Perls, F. S. (1974). *Sueños y existencia* [Sonhos e existência]. Cuatro Vientos.

Perls, F. S. (1976). *El enfoque guestáltico & testimonios de terapia* [A abordagem gestáltica & testemunhos de terapia]. Cuatro Vientos.

Perrucci, A. (2008). *A treatise on acting, from memory and by improvisation (1699): dell'arte rappresentativa, premeditata ed all'improviso* [Um tratado sobre a atuação, de memória e por improvisação: da arte representativa, premeditada e de improviso]. Scarecrow Press.

Petzold, H. (1973). *Das "Therapeutische Theater" V. N. Iljines als Form Dramatischer Therapie* [O "teatro terapêutico" de V. N. Iljine como forma de terapia dramática]. http://www.fpi-publikation.de/artikel/textarchiv-h-g-petzold-et-al-/index.php

Pinel, P. (1801). *Traité médico-philosophique sur l'alienation mentale ou la manie* [Tratado médico-filosófico sobre a alienação mental ou a mania]. Richard, Caille et Ravier, p. 233-237.

Pinel, P. (1809). *Traité médico-philosophique sur l'alienation mentale* [Tratado médico-filosófico sobre a alienação mental]. Brosson.

Racine, J. (1669). *Les plaideurs: comédie* [Os litigantes: comédia]. Claude Barbin.

Racine, J. (1982). *Fedra/Andrómaca/Los litigantes/Británico.* Orbis.

Read, L. D. S. (2001). Beginnings of theatre in Africa and the Americas [O início do teatro na África e nas Américas]. In J. R. Brown (Org.), *The Oxford illustrated history of the theatre* [A história ilustrada do teatro, pela Universidade de Oxford] (p. 93-104). Oxford University Press.

Reil, J. C. (2007). *Rhapsodies sur l'emploi de la méthode de cure psychique dans les dérangements de l'esprit* [Rapsódias sobre o uso do método de tratamento psicológico em transtornos da mente]. Champ Social Éditions.

Revue du Psychodrame Freudien [Revista do Psicodrama Freudiano] (2022). http://www.asso-sept.org/publications/

Riccoboni, L. (1730). *Histoire du théâtre italien, depuis la décadence de la comédie latine* [História do teatro italiano, desde a decadência da comédia latina]. André Cailleau.

Romaña, M. A. (1987). *Psicodrama pedagógico: método educacional psicodramático.* Papirus.

Romaña, M. A. (2010). *Pedagogía psicodramática y educación conciente: mapa de un accionar educativo* [Pedagogia psicodramática e educação consciente: mapa de uma ação educativa]. Lugar.

Rudlin, J. (2007). *Commedia dell'arte: an actor's handbook* [Commedia dell'arte: um manual do ator]. Routledge.

Salas, J. (2007). *Improvising Real Life: Personal Story in Playback Theatre* [Improvisando a vida real: a história pessoal no Teatro Playback]. Tusitala Publishing.

Samuel, F. A. (2014). *The humanistic approach to education: from Socrates to Paulo Freire* [A abordagem humanística da educação: de Sócrates a Paulo Freire]. Bethany Publications.

Sauvages, F. B. (1772). *Nosologie méthodique ou distribution des maladies en classes, en genres et en espèces* [Nosologia metódica ou distribuição das doenças em classes, gêneros e espécies] (t. VII). Jean-Marie Bruyset.

Sayler, O. M. (1922). *The Russian theatre* [O teatro russo]. Brentano's Publishers.

Sayler, O. M. (1927). Introduction [Introdução]. In N. Evreinoff (2013). *The theatre in life* [O teatro na vida]. Brentano's/Martino Publishing.

Scaramella, D. G. (1972). *"Las Nubes" de Aristófanes: estudio, versión y notas* [*As nuvens* de Aristófanes: estudo, versão e notas]. Columba.

Schechter, J. (Org.). (2003). *Popular Theatre: a sourcebook* [Teatro popular: um livro de referência]. Routledge.

Scheiffele, E. (2006). *Therapeutic theatre and spontaneity: Goethe and Moreno* [Teatro terapêutico e espontaneidade: Goethe e Moreno]. http://www.goethezeitportal.de/fileadmin/PDF/db/wiss/goethe/moreno scheiffele.pdf

Schutz, W. (1978). *Todos somos uno: la cultura de los encuentros* [Todos somos um: a cultura dos encontros] (2ª reimp.). Amorrortu.

Schützenberger, A. A. (1970). *O teatro da vida: psicodrama*. Livraria Duas Cidades.

Segal, R. (22 mar. 2022). Joseph Campbell. *Encyclopedia Britannica*. https://www.britannica.com/biography/Joseph-Campbell-American-author

Semenov, V. et al. (2022). Psychodrama online: problems, searches, solutions [Psicodrama online: problemas, buscas, soluções]. In M. Jannicke, G. Mävers, & J. Olberding (Orgs.) (2022).

Sêneca, L. A. (s.d.). *Tratados morales* [Tratados morais]. http://www.nueva-acropolis.es/filiales/libros/Seneca-Tratados_Morales.pdf

Silva, A. (2021). Psicodrama de grupo e sociodrama on-line. In G. P. Vidal G. P., & M. M. Vitali (Orgs.), *O drama na tela: trajetórias do psicodrama on-line*. Appris.

Silva, R. T. (1998). Testes de espontaneidade ou "treinamento" para a espontaneidade. In *Técnicas fundamentais do psicodrama*. Ágora.

Stephenson, C. E. (Org.) (2014). *Jung and Moreno: essays on the theatre of human nature* [Jung e Moreno: ensaios sobre o teatro da natureza humana]. Routledge.

Storch, S. (2021). *Direito sistêmico e as constelações familiares da defensoria pública*. https://direitosistemico.wordpress.com/2021/11/18/direito-sistemico-e-as-constelacoes-familiares-da-defensoria-publica-sami-storch/

Streck, D., Redin, E., & Zitkoski, J. J. (Orgs.). (2010). *Dicionário Paulo Freire*. Autêntica.

Surel-Tupin, M. (1983). *Dullin, le cirque et le music-hall* [Dullin, o circo e o teatro de variedades]. In C. Amiard-Chevrel, *Du cirque au théâtre*. La Cité.

Tarrab, G. (1968). Le happening: analyse psycho-sociologique [O happening, análise psicossociológica]. *Revue d'Histoire du Théâtre, 20*(1) [Revista da História do Teatro].

Tatlock, L. (2008). Foreword: Reading "Simplicissimus" in translation in 2008 [Prefácio: Lendo "Simplicissimus" na tradução de 2008]. In H. J. von Grimmelshausen, *Simplicissimus: the German adventurer* [Simplicíssimus: o aventureiro alemão]. Newfound Press.

Teszáry, L. (2013). Supervision: a triangle of drama in transition [Supervisão: um triângulo de drama em transição]. In H. Krall, J. Fürst, & P. Fontaine (Orgs.), *Supervision in psychodrama: experiential learning in psychotherapy and training* [Supervisão em psicodrama: aprendizagem experiencial em psicoterapia e treinamento]. Springer VS.

Toeman, Z. (1949). History of the sociometric movement in headlines [História do movimento sociométrico nas manchetes]. *Sociometry, A Journal of Inter-Personal Relations, XII*(1-3), 255-259.

Toffetti, S. (2019). Un film ritrovato [Um filme encontrado]. In (2018). *Psychodrame: Roberto Rossellini avec J. L. Moreno* [Psicodrama: RR com JLM]. Istituto Luce Cinecittà (livro e DVD).

UQTR (2003). *Spontaneity training and role re-training (around 1933)* [Treinamento da espontaneidade e retreinamento de papéis (por volta de 1933)], disco 1 [DVD]. Psychotherapy.net.

VanderBos, G. R. (Org.). (2007). *APA Dictionary of Psychology* [Dicionário de Psicologia da Associação Psicológica Norte-Americana (APA)]. American Psychological Association.

Vicentin, M. C. (2020). Prefácio. In A. M. Dedomênico, & D. Merengué (Org.), *Por uma vida espontânea e criativa – psicodrama e política*. Ágora.

Vidal G. P., & Vitali, M. M. (Orgs.) (2021). *O drama na tela: trajetórias do psicodrama on-line*. Appris.

Vieira Pinto, A. (2020). A consciência ingênua. *Consciência e realidade nacional* (Vol. I). Contraponto.

Vieira Pinto, A. (2020a). A consciência crítica. *Consciência e realidade nacional* (Vol. II). Contraponto.

Vomero, L. (2021). *Tecendo diálogos entre útero, sangue e psicodrama*. Locus Psicodrama. https://www.facebook.com/page/647816541982794/search/?q=uterodrama

Waldt, R. (2006). *Begegnung: J. L. Morenos Beitrag zu Martin Buber dialogischer Philosophie* [Encontro: a contribuição de J. L. Moreno à filosofia dialógica de Martin Buber]. Faculdade de Filosofia e Ciências da Educação, Universidade de Viena. http://www.waldl.com/downloads/Moreno_Buber.pdf

Williams, A. (1989). *The passionate technique: strategic psychodrama with individuals, families and groups* [A técnica apaixonada: psicodrama estratégico com indivíduos, famílias e grupos]. Tavistock; Routledge.

Wright, C. H. C. (Org.) (1906). *Racine's Les plaideurs* [Racine e Os litigantes]. D. C. Heath & Co., Publishers.

Yablonsky, L. (1976). *Psychodrama: resolving emotional problems through role playing* [Psicodrama: resolvendo problemas emocionais através do jogo de papéis]. Basic Books.

Zuretti, M. (2007). Psychodrama in the presence of whales [Psicodrama na presença das baleias]. *British Journal of Psychodrama and Sociodrama, 22*(1), 19-32. http://psykodramainstitutt.no/uf/90000_99999/97040/1ff03dea150dfed5c54ce9bcb8cdc014.pdf

www.gruposummus.com.br